Gotthold Ephraim Lessing
Die Juden

Ein Lustspiel in einem Aufzuge
verfertiget im Jahr 1749

Mit Anmerkungen und Materialien
herausgegeben von Wilhelm Grosse

GW00375223

Reclam

RECLAMS UNIVERSAL-BIBLIOTHEK Nr. 7679
1981, 2019 Philipp Reclam jun. GmbH & Co. KG,
Siemensstraße 32, 71254 Ditzingen
Bibliographisch ergänzte Ausgabe 2019
Druck und Bindung: Eberl & Koesel GmbH & Co. KG,
Am Buchweg 1, 87452 Altusried-Krugzell
Printed in Germany 2022
RECLAM, UNIVERSAL-BIBLIOTHEK und ·
RECLAMS UNIVERSAL-BIBLIOTHEK sind eingetragene Marken
der Philipp Reclam jun. GmbH & Co. KG, Stuttgart
ISBN 978-3-15-007679-8
www.reclam.de

Personen

MICHEL STICH

MARTIN KRUMM

EIN REISENDER

CHRISTOPH, dessen Bedienter

DER BARON

EIN JUNGES FRÄULEIN, dessen Tochter

LISETTE

Erster Auftritt

MICHEL STICH. MARTIN KRUMM.

MART. KR. Du dummer Michel Stich!

MICH. ST. Du dummer Martin Krumm!

5 MART. KR. Wir wollen's nur gestehen, wir sind beide erz-
dumm gewesen. Es wäre ja auf einen nicht angekommen,
den wir mehr totgeschlagen hätten.

MICH. ST. Wie hätten wir es aber klüger können anfangen?
Waren wir nicht gut vermummt? war nicht der Kutscher
10 auf unsrer Seite? konnten wir was dafür, dass uns das
Glück so einen Querstrich machte? Habe ich doch viel
hundert Mal gesagt: das verdammte Glücke! ohne das
kann man nicht einmal ein guter Spitzbube sein.

MART. KR. Je nu, wenn ich's beim Lichte besehe, so sind
15 wir kaum dadurch auf ein paar Tage länger dem Stricke
entgangen.

MICH. ST. Ah, es hat sich was mit dem Stricke! Wenn alle
Diebe gehangen würden, die Galgen müssten dichter stehen. Man sieht ja kaum aller zwei Meilen einen; und wo
20 auch einer steht, steht er meist leer. Ich glaube, die Herren Richter werden, aus Höflichkeit, die Dinger gar eingehen lassen. Zu was sind sie auch nütze? Zu nichts, als
aufs Höchste, dass unsereiner, wenn er vorbeigeht, die
Augen zublinzt.

25 MART. KR. O! das tu ich nicht einmal. Mein Vater und mein
Großvater sind daran gestorben, was will ich's besser
verlangen? Ich schäme mich meiner Eltern nicht.

MICH. ST. Aber die ehrlichen Leute werden sich deiner
schämen. Du hast noch lange nicht so viel getan, dass
30 man dich für ihren rechten und echten Sohn halten kann.

MART. KR. O! denkst du denn, dass es deswegen unserm
Herrn soll geschenkt sein? Und an dem verzweifelten
Fremden, der uns so einen fetten Bissen aus dem Munde
gerissen hat, will ich mich gewiss auch rächen. Seine Uhr

soll er so richtig müssen dalassen – – Ha! sieh, da kömmt
er gleich. Hurtig geh fort! ich will mein Meisterstück
machen.

MICH. ST. Aber halbpart! halbpart!

Zweiter Auftritt

MARTIN KRUMM. DER REISENDE.

MART. KR. Ich will mich dumm stellen. – Ganz dienstwilli-
ger Diener, mein Herr, – – ich werde Martin Krumm heißen, und werde, auf diesem Gute hier, wohlbestallter
Vogt sein.

DER REIS. Das glaube ich Euch, mein Freund. Aber habt
Ihr nicht meinen Bedienten gesehen?

MART. KR. Ihnen zu dienen, nein; aber ich habe wohl von
Dero preiswürdigen Person sehr viel Gutes zu hören, die
Ehre gehabt. Und es erfreut mich also, dass ich die Ehre
habe, die Ehre Ihrer Bekanntschaft zu genießen. Man
sagt, dass Sie unsern Herrn gestern abends, auf der Reise,
aus einer sehr gefährlichen Gefahr sollen gerissen haben.
Wie ich nun nicht anders kann, als mich des Glücks meines Herrn zu erfreuen, so erfreu ich mich – –

DER REIS. Ich errate, was Ihr wollt; Ihr wollt Euch bei mir
bedanken, dass ich Eurem Herrn beigestanden habe – –

MART. KR. Ja, ganz recht; eben das!

DER REIS. Ihr seid ein ehrlicher Mann –

MART. KR. Das bin ich! Und mit der Ehrlichkeit kömmt
man immer auch am weitesten.

DER REIS. Es ist mir kein geringes Vergnügen, dass ich mir,
durch eine so kleine Gefälligkeit, so viel rechtschaffne
Leute verbindlich gemacht habe. Ihre Erkenntlichkeit ist
eine überflüssige Belohnung dessen, was ich getan habe.
Die allgemeine Menschenliebe verband mich darzu. Es

war meine Schuldigkeit; und ich müsste zufrieden sein,
wenn man es auch für nichts anders, als dafür, angesehen
hätte. Ihr seid allzu gütig, ihr lieben Leute, dass ihr euch
dafür bei mir bedanket, was ihr mir, ohne Zweifel, mit
ebenso vielem Eifer würdet erwiesen haben, wenn ich
mich in ähnlicher Gefahr befunden hätte. Kann ich Euch
sonst worin dienen, mein Freund?

MART. KR. O! mit dem Dienen, mein Herr, will ich Sie
nicht beschweren. Ich habe meinen Knecht, der mich be-
dienen muss, wann's nötig ist. Aber – – wissen möcht ich
wohl gern, wie es doch dabei zugegangen wäre? Wo
war's denn? Waren's viel Spitzbuben? Wollten sie unsern
guten Herrn gar ums Leben bringen, oder wollten sie
ihm nur sein Geld abnehmen? Es wäre doch wohl eins
besser gewesen, als das andre.

DER REIS. Ich will Euch mit wenigem den ganzen Verlauf
erzählen. Es mag ohngefähr eine Stunde von hier sein,
wo die Räuber Euren Herrn, in einem hohlen Wege, angefallen hatten. Ich reisete eben diesen Weg, und sein
ängstliches Schreien um Hülfe bewog mich, dass ich
nebst meinem Bedienten eilends herzuritt.

MART. KR. Ei! ei!

DER REIS. Ich fand ihn in einem offnen Wagen – –

MART. KR. Ei! ei!

DER REIS. Zwei vermummte Kerle – –

MART. KR. Vermummte? ei! ei!

DER REIS. Ja! machten sich schon über ihn her.

MART. KR. Ei! ei!

DER REIS. Ob sie ihn umbringen, oder ob sie ihn nur bin-
den wollten, ihn alsdann desto sicherer zu plündern, weiß
ich nicht.

MART. KR. Ei! ei! Ach freilich werden sie ihn wohl haben
umbringen wollen: die gottlosen Leute!

DER REIS. Das will ich eben nicht behaupten, aus Furcht,
ihnen zu viel zu tun.

MART. KR. Ja, ja, glauben Sie mir nur, sie haben ihn umbringen wollen. Ich weiß, ich weiß ganz gewiss – –

DER REIS. Woher könnt Ihr das wissen? Doch es sei. Sobald
mich die Räuber ansichtig wurden, verließen sie ihre
Beute, und liefen über Macht dem nahen Gebüsche zu.
Ich lösete das Pistol auf einen. Doch es war schon zu
dunkel, und er schon zu weit entfernt, dass ich also zwei- 5
feln muss, ob ich ihn getroffen habe.

MART. KR. Nein, getroffen haben Sie ihn nicht – –

DER REIS. Wisst Ihr es?

MART. KR. Ich meine nur so, weil's doch schon finster gewesen ist: und im Finstern soll man, hör ich, nicht gut 10
zielen können.

DER REIS. Ich kann Euch nicht beschreiben, wie erkenntlich sich Euer Herr gegen mich bezeugte. Er nannte mich
hundertmal seinen Erretter, und nötigte mich, mit ihm
auf sein Gut zurückzukehren. Ich wollte wünschen, dass 15
es meine Umstände zuließen, länger um diesen angeneh-
men Mann zu sein; so aber muss ich mich noch heute
wieder auf den Weg machen – Und eben deswegen suche
ich meinen Bedienten.

MART. KR. O! lassen Sie sich doch die Zeit bei mir nicht so 20
lang werden. Verziehen Sie noch ein wenig – Ja! was
wollte ich denn noch fragen? Die Räuber, – sagen Sie mir
doch – wie sahen sie denn aus? wie gingen sie denn? Sie
hatten sich verkleidet; aber wie?

DER REIS. Euer Herr will durchaus behaupten, es wären 25
Juden gewesen. Bärte hatten sie, das ist wahr; aber ihre Sprache war die ordentliche hiesige Baurensprache.
Wenn sie vermummt waren, wie ich gewiss glaube, so ist
ihnen die Dämmerung sehr wohl zustatten gekommen.
Denn ich begreife nicht, wie Juden die Straßen sollten 30
können unsicher machen, da doch in diesem Lande so
wenige geduldet werden.

MART. KR. Ja, ja, das glaub ich ganz gewiss auch, dass es
Juden gewesen sind. Sie mögen das gottlose Gesindel
noch nicht so kennen. So viel als ihrer sind, keinen aus- 35
genommen, sind Betrieger, Diebe und Straßenräuber.

Darum ist es auch ein Volk, das der liebe Gott verflucht
hat. Ich dürfte nicht König sein: ich ließ' keinen, keinen
Einzigen am Leben. Ach! Gott behüte alle rechtschaffne
Christen vor diesen Leuten! Wenn sie der liebe Gott
5   nicht selber hasste, weswegen wären denn nur vor kur-
zem, bei dem Unglücke in Breslau, ihrer bald noch einmal so viel als Christen geblieben? Unser Herr Pfarr er-
innerte das sehr weislich, in der letzten Predigt. Es ist,
als wenn sie zugehört hätten, dass sie sich gleich deswe-
10 gen an unserm guten Herrn haben rächen wollen. Ach!
mein lieber Herr, wenn Sie wollen Glück und Segen in
der Welt haben, so hüten Sie sich vor den Juden, ärger,
als vor der Pest.

DER REIS. Wollte Gott, dass das nur die Sprache des Pöbels
15 wäre!

MART. KR. Mein Herr, zum Exempel: ich bin einmal auf der
Messe gewesen – ja! wenn ich an die Messe gedenke, so
möchte ich gleich die verdammten Juden alle auf einmal
mit Gift vergeben, wenn ich nur könnte. Dem einen hat-
20 ten sie im Gedränge das Schnupftuch, dem andern die
Tobaksdose, dem Dritten die Uhr, und ich weiß nicht
was sonst mehr, wegstipitzt. Geschwind sind sie, ochsen-
mäßig geschwind, wenn es aufs Stehlen ankömmt. So be-
hende, als unser Schulmeister nimmermehr auf der Orgel
25 ist. Zum Exempel, mein Herr: erstlich drängen sie sich an
einen heran, so wie ich mich ungefähr jetzt an Sie – –

DER REIS. Nur ein wenig höflicher, mein Freund! – –

MART. KR. O! lassen Sie sich's doch nur weisen. Wenn sie
nun so stehen, – – sehen Sie – – wie der Blitz sind sie mit
30 der Hand nach der Uhrtasche. *(Er fährt mit der Hand, an-*
statt nach der Uhr, in die Rocktasche, und nimmt ihm seine
Tobaksdose heraus.) Das können sie nun aber alles so geschickt machen, dass man schwören sollte, sie führen mit
der Hand dahin, wenn sie dorthin fahren. Wenn sie von
35 der Tobaksdose reden, so zielen sie gewiss nach der Uhr,
und wenn sie von der Uhr reden, so haben sie gewiss die

Tobaksdose zu stehlen im Sinne. *(Er will ganz sauber nach
der Uhr greifen, wird aber ertappt.)*

DER REIS. Sachte! sachte! was hat Eure Hand hier zu suchen?

MART. KR. Da können Sie sehn, mein Herr, was ich für ein
ungeschickter Spitzbube sein würde. Wenn ein Jude
schon so einen Griff getan hätte, so wäre es gewiss um
die gute Uhr geschehn gewesen – – Doch weil ich sehe,
dass ich Ihnen beschwerlich falle, so nehme ich mir die
Freiheit mich Ihnen bestens zu empfehlen, und verbleibe
zeitlebens für Dero erwiesene Wohltaten, meines hoch-
zuehrenden Herrn gehorsamster Diener, Martin Krumm,
wohlbestallter Vogt auf diesem Hochadelichen Ritter-
gute.

DER REIS. Geht nur, geht!

MART. KR. Erinnern Sie sich ja, was ich Ihnen von den Juden gesagt habe. Es ist lauter gottloses diebisches Volk.

Dritter Auftritt

DER REISENDE.

Vielleicht ist dieser Kerl, so dumm er ist, oder sich stellt,
ein boshafterer Schelm, als je einer unter den Juden gewesen ist. Wenn ein Jude betrigt, so hat ihn, unter neun
Malen, der Christ vielleicht siebenmal dazu genötiget.
Ich zweifle, ob viel Christen sich rühmen können, mit einem Juden aufrichtig verfahren zu sein: und sie wundern
sich, wenn er ihnen Gleiches mit Gleichem zu vergelten
sucht? Sollen Treu und Redlichkeit unter zwei Völker-
schaften herrschen, so müssen beide gleich viel dazu bei-
tragen. Wie aber, wenn es bei der einen ein Religions-
punkt, und beinahe ein verdienstliches Werk wäre, die
andre zu verfolgen? Doch –

Vierter Auftritt

DER REIS. Dass man Euch doch allezeit eine Stunde suchen muss, wenn man Euch haben will.

CHRIST. Sie scherzen, mein Herr. Nicht wahr, ich kann nicht mehr, als an einem Orte zugleich sein? Ist es also meine Schuld, dass Sie sich nicht an diesen Ort begeben? Gewiss Sie finden mich allezeit da, wo ich bin.

DER REIS. So? und Ihr taumelt gar? Nun begreif ich, warum Ihr so sinnreich seid. Müsst Ihr Euch denn schon frühmorgens besaufen?

CHRIST. Sie reden von Besaufen, und ich habe kaum zu trinken angefangen. Ein paar Flaschen guten Landwein, ein paar Gläser Branntwein, und eine Mundsemmel ausgenommen, habe ich, so wahr ich ein ehrlicher Mann bin, nicht das Geringste zu mir genommen. Ich bin noch ganz nüchtern.

DER REIS. O! das sieht man Euch an. Und ich rate Euch, als ein Freund, die Portion zu verdoppeln.

CHRIST. Vortrefflicher Rat! Ich werde nicht unterlassen, ihn, nach meiner Schuldigkeit, als einen Befehl anzusehen. Ich gehe, und Sie sollen sehen, wie gehorsam ich zu sein weiß.

DER REIS. Seid klug! Ihr könnt dafür gehn, und die Pferde satteln und aufpacken. Ich will noch diesen Vormittag fort.

CHRIST. Wenn Sie mir im Scherze geraten haben, ein doppeltes Frühstück zu nehmen, wie kann ich mir einbilden, dass Sie jetzt im Ernste reden? Sie scheinen sich heute mit mir erlustigen zu wollen. Macht Sie etwa das junge Fräulein so aufgeräumt? O! es ist ein allerliebstes Kind. – Nur noch ein wenig älter, ein klein wenig älter sollte sie sein. Nicht wahr, mein Herr? wenn das Frauenzimmer nicht zu einer gewissen Reife gelangt ist – –

DER REIS. Geht, und tut, was ich Euch befohlen habe.

CHRIST. Sie werden ernsthaft. Nichtsdestoweniger werde ich warten, bis Sie mir es das dritte Mal befehlen. Der Punkt ist zu wichtig! Sie könnten sich übereilt haben. Und ich bin allezeit gewohnt gewesen, meinen Herren Bedenkzeit zu gönnen. Überlegen Sie es wohl, einen Ort, wo wir fast auf den Händen getragen werden, so zeitig wieder zu verlassen? Gestern sind wir erst gekommen. Wir haben uns an dem Herrn unendlich verdient gemacht, und gleichwohl bei ihm kaum eine Abendmahlzeit und ein Frühstück genossen.

DER REIS. Eure Grobheit ist unerträglich. Wenn man sich zu dienen entschließt, sollte man sich gewöhnen, weniger Umstände zu machen.

CHRIST. Gut, mein Herr! Sie fangen an zu moralisieren, das ist: Sie werden zornig. Mäßigen Sie sich; ich gehe schon – –

DER REIS. Ihr müsst wenig Überlegungen zu machen gewohnt sein. Das, was wir diesem Herrn erwiesen haben, verlieret den Namen einer Wohltat, sobald wir die geringste Erkenntlichkeit dafür zu erwarten scheinen. Ich hätte mich nicht einmal sollen mit hieher nötigen lassen. Das Vergnügen, einem Unbekannten ohne Absicht beigestanden zu haben, ist schon vor sich so groß! Und er selbst würde uns mehr Segen nachgewünscht haben, als er uns jetzt übertriebene Danksagung hält. Wen man in die Verbindlichkeit setzt, sich weitläufig, und mit dabei verknüpften Kosten zu bedanken, der erweiset uns einen Gegendienst, der ihm vielleicht saurer wird, als uns unsere Wohltat geworden. Die meisten Menschen sind zu verderbt, als dass ihnen die Anwesenheit eines Wohltäters nicht höchst beschwerlich sein sollte. Sie scheint ihren Stolz zu erniedrigen – –

CHRIST. Ihre Philosophie, mein Herr, bringt Sie um den Atem. Gut! Sie sollen sehen, dass ich ebenso großmütig bin, als Sie. Ich gehe; in einer Viertelstunde sollen Sie sich aufsetzen können.

Fünfter Auftritt

DER REIS. So wenig ich mich mit diesem Menschen gemein gemacht habe, so gemein macht er sich mit mir.

DAS FRÄUL. Warum verlassen Sie uns, mein Herr? Warum sind Sie hier so allein? Ist Ihnen unser Umgang schon die wenigen Stunden, die Sie bei uns sind, zuwider geworden? Es sollte mir leid tun. Ich suche aller Welt zu gefallen; und Ihnen möchte ich, vor allen andern, nicht gern missfallen.

DER REIS. Verzeihen Sie mir, Fräulein. Ich habe nur meinem Bedienten befehlen wollen, alles zur Abreise fertig zu halten.

DAS FRÄUL. Wovon reden Sie? von Ihrer Abreise? Wenn war denn Ihre Ankunft? Es sei noch, wenn Sie über Jahr und Tag eine melancholische Stunde auf diesen Einfall brächte. Aber wie, nicht einmal einen völligen Tag aushalten wollen? das ist zu arg. Ich sage es Ihnen, ich werde böse, wenn Sie noch einmal daran gedenken.

DER REIS. Sie könnten mir nichts Empfindlichers drohen.

DAS FRÄUL. Nein? im Ernst? ist es wahr, würden Sie empfindlich sein, wenn ich böse auf Sie würde?

DER REIS. Wem sollte der Zorn eines liebenswürdigen Frauenzimmers gleichgültig sein können?

DAS FRÄUL. Was Sie sagen, klingt zwar beinahe, als wenn Sie spotten wollten: doch ich will es für Ernst aufnehmen; gesetzt, ich irrte mich auch. Also, mein Herr, – – ich bin ein wenig liebenswürdig, wie man mir gesagt hat, – und ich sage Ihnen noch einmal, ich werde entsetzlich, entsetzlich zornig werden, wenn Sie, binnen hier und dem neuen Jahr, wieder an Ihre Abreise gedenken.

DER REIS. Der Termin ist sehr liebreich bestimmt. Alsdann wollten Sie mir, mitten im Winter, die Türe weisen; und bei dem unbequemsten Wetter – –

DAS FRÄUL. Ei! wer sagt das? Ich sage nur, dass Sie alsdann,
des Wohlstands halber, etwa einmal an die Abreise denken können. Wir werden Sie deswegen nicht fortlassen;
wir wollen Sie schon bitten – –

DER REIS. Vielleicht auch des Wohlstands halber?   5

DAS FRÄUL. Ei! seht, man sollte nicht glauben, dass ein so
ehrliches Gesicht auch spotten könnte. – – Ah! da
kömmt der Papa. Ich muss fort! Sagen Sie ja nicht, dass
ich bei Ihnen gewesen bin. Er wirft mir so oft genug vor,
dass ich gern um Mannspersonen wäre.   10

Sechster Auftritt

DER BARON. DER REISENDE.

DER BARON. War nicht meine Tochter bei Ihnen? Warum
läuft denn das wilde Ding?

DER REIS. Das Glück ist unschätzbar, eine so angenehme   15
und muntre Tochter zu haben. Sie bezaubert durch ihre
Reden, in welchen die liebenswürdigste Unschuld, der
ungekünsteltste Witz herrschet.

DER BARON. Sie urteilen zu gütig von ihr. Sie ist wenig unter ihresgleichen gewesen, und besitzt die Kunst zu gefal-   20
len, die man schwerlich auf dem Lande erlernen kann,
und die doch oft mehr, als die Schönheit selbst vermag,
in einem sehr geringen Grade. Es ist alles bei ihr noch die
sich selbst gelassne Natur.

DER REIS. Und diese ist desto einnehmender, je weniger   25
man sie in den Städten antrifft. Alles ist da verstellt, gezwungen und erlernt. Ja, man ist schon so weit darin gekommen, dass man Dummheit, Grobheit und Natur für
gleich viel bedeutende Wörter hält.

DER BARON. Was könnte mir angenehmer sein, als dass ich   30
sehe, wie unsre Gedanken und Urteile so sehr überein-

stimmen? O! dass ich nicht längst einen Freund Ihresgleichen gehabt habe!

DER REIS. Sie werden ungerecht gegen Ihre übrigen Freunde.

5 DER BARON. Gegen meine übrigen Freunde, sagen Sie? Ich
bin funfzig Jahre alt: – – Bekannte habe ich gehabt, aber
noch keinen Freund. Und niemals ist mir die Freundschaft so reizend vorgekommen, als seit den wenigen
Stunden, da ich nach der Ihrigen strebe. Wodurch kann
10 ich sie verdienen?

DER REIS. Meine Freundschaft bedeutet so wenig, dass das
bloße Verlangen danach ein genugsames Verdienst ist,
sie zu erhalten. Ihre Bitte ist weit mehr wert, als das, was
Sie bitten.

15 DER BARON. O, mein Herr, die Freundschaft eines Wohltäters – –

DER REIS. Erlauben Sie, – – ist keine Freundschaft. Wenn
Sie mich unter dieser falschen Gestalt betrachten, so
kann ich Ihr Freund nicht sein. Gesetzt einen Augen-
20 blick, ich wäre Ihr Wohltäter: würde ich nicht zu be-
fürchten haben, dass Ihre Freundschaft nichts, als eine
wirksame Dankbarkeit wäre?

DER BARON. Sollte sich beides nicht verbinden lassen?

DER REIS. Sehr schwer! Diese hält ein edles Gemüt für sei-
25 ne Pflicht; jene erfodert lauter willkürliche Bewegungen
der Seele.

DER BARON. Aber wie sollte ich – – Ihr allzu zärtlicher Ge-
schmack macht mich ganz verwirrt. – –

DER REIS. Schätzen Sie mich nur nicht höher, als ich es ver-
30 diene. Aufs Höchste bin ich ein Mensch, der seine Schuldigkeit mit Vergnügen getan hat. Die Schuldigkeit an sich
selbst ist keiner Dankbarkeit wert. Dass ich sie aber mit
Vergnügen getan habe, dafür bin ich genugsam durch
Ihre Freundschaft belohnt.

35 DER BARON. Diese Großmut verwirrt mich nur noch
mehr. – – Aber ich bin vielleicht zu verwegen. – – Ich

habe mich noch nicht unterstehen wollen, nach Ihrem
Namen, nach Ihrem Stande zu fragen. – Vielleicht biete
ich meine Freundschaft einem an, der – – der sie zu ver-
achten – –

DER REIS. Verzeihen Sie, mein Herr! – Sie – Sie machen   5
sich – – Sie haben allzu große Gedanken von mir.

DER BARON *(beiseite).* Soll ich ihn wohl fragen? Er kann
meine Neugierde übel nehmen.

DER REIS. *(beiseite).* Wenn er mich fragt, was werde ich ihm
antworten?   10

DER BARON *(beiseite).* Frage ich ihn nicht; so kann er es als
eine Grobheit auslegen.

DER REIS. *(beiseite).* Soll ich ihm die Wahrheit sagen?

DER BARON *(beiseite).* Doch ich will den sichersten Weg gehen. Ich will erst seinen Bedienten ausfragen lassen.   15

DER REIS. *(beiseite).* Könnte ich doch dieser Verwirrung
überhoben sein! – –

DER BARON. Warum so nachdenkend?

DER REIS. Ich war gleich bereit, diese Frage an Sie zu tun,
mein Herr – –   20

DER BARON. Ich weiß es, man vergisst sich dann und wann.
Lassen Sie uns von etwas andern reden – – Sehen Sie,
dass es wirkliche Juden gewesen sind, die mich angefallen
haben? Nur jetzt hat mir mein Schulze gesagt, dass er
vor einigen Tagen ihrer drei auf der Landstraße angetrof- 25
fen. Wie er sie mir beschreibt, haben sie Spitzbuben ähnlicher, als ehrlichen Leuten, gesehen. Und warum sollte
ich auch daran zweifeln? Ein Volk, das auf den Gewinst
so erpicht ist, fragt wenig darnach, ob es ihn mit Recht
oder Unrecht, mit List oder Gewaltsamkeit erhält – – Es   30
scheinet auch zur Handelschaft, oder deutsch zu reden,
zur Betrügerei gemacht zu sein. Höflich, frei, unterneh-
mend, verschwiegen, sind Eigenschaften die es schätzbar
machen würden, wenn es sie nicht allzu sehr zu unserm
Unglück anwendete. – *(Er hält etwas inne.)* – – Die Juden   35
haben mir sonst schon nicht wenig Schaden und Ver-

druss gemacht. Als ich noch in Kriegsdiensten war, ließ
ich mich bereden, einen Wechsel für einen meiner Bekannten mit zu unterschreiben; und der Jude, an den er
ausgestellet war, brachte mich nicht allein dahin, dass ich
5 ihn bezahlen, sondern, dass ich ihn sogar zweimal bezahlen musste – – O! es sind die allerboshaftesten, niederträchtigsten Leute – Was sagen Sie dazu? Sie scheinen
ganz niedergeschlagen.

DER REIS. Was soll ich sagen? Ich muss sagen, dass ich diese
10 Klage sehr oft gehört habe – –

DER BARON. Und ist es nicht wahr, ihre Gesichtsbildung
hat gleich etwas, das uns wider sie einnimmt? Das Tücki-
sche, das Ungewissenhafte, das Eigennützige, Betrug und
Meineid, sollte man sehr deutlich aus ihren Augen zu le-
15 sen glauben – Aber, warum kehren Sie sich von mir?

DER REIS. Wie ich höre, mein Herr, so sind Sie ein großer
Kenner der Physiognomie; und ich besorge, dass die
meinige – –

DER BARON. O! Sie kränken mich. Wie können Sie auf der-
20 gleichen Verdacht kommen? Ohne ein Kenner der Physiognomie zu sein, muss ich Ihnen sagen, dass ich nie
eine so aufrichtige, großmütige und gefällige Miene gefunden habe, als die Ihrige.

DER REIS. Ihnen die Wahrheit zu gestehn: ich bin kein
25 Freund allgemeiner Urteile über ganze Völker – – Sie
werden meine Freiheit nicht übel nehmen. – Ich sollte
glauben, dass es unter allen Nationen gute und böse Seelen geben könne. Und unter den Juden – –

Siebenter Auftritt

DAS FRÄULEIN. DER REISENDE. DER BARON.

DAS FRÄUL. Ach! Papa – –

DER BARON. Nu, nu! fein wild, fein wild! Vorhin liefst du
vor mir: was sollte das bedeuten? – –   5

DAS FRÄUL. Vor Ihnen bin ich nicht gelaufen, Papa; sondern
nur vor Ihrem Verweise.

DER BARON. Der Unterscheid ist sehr subtil. Aber was war
es denn, das meinen Verweis verdiente?

DAS FRÄUL. O! Sie werden es schon wissen. Sie sahen es ja!   10
Ich war bei dem Herrn –

DER BARON. Nun? und –

DAS FRÄUL. Und der Herr ist eine Mannsperson, und mit
den Mannspersonen, haben Sie befohlen, mir nicht allzu
viel zu tun zu machen. –   15

DER BARON. Dass dieser Herr eine Ausnahme sei, hättest
du wohl merken sollen. Ich wollte wünschen, dass er
dich leiden könnte – – Ich werde es mit Vergnügen sehen, wenn du auch beständig um ihn bist.

DAS FRÄUL. Ach! – es wird wohl das erste und letzte Mal   20
gewesen sein. Sein Diener packt schon auf – – Und das
wollte ich Ihnen eben sagen.

DER BARON. Was? wer? sein Diener?

DER REIS. Ja, mein Herr, ich hab es ihm befohlen. Meine
Verrichtungen und die Besorgnis, Ihnen beschwerlich zu   25
fallen –

DER BARON. Was soll ich ewig davon denken? Soll ich das
Glück nicht haben, Ihnen näher zu zeigen, dass Sie sich
ein erkenntliches Herz verbindlich gemacht haben? O!
ich bitte Sie, fügen Sie zu Ihrer Wohltat noch die andre   30
hinzu, die mir ebenso schätzbar, als die Erhaltung meines
Lebens sein wird; bleiben Sie einige Zeit – wenigstens einige Tage bei mir; ich würde mir es ewig vorzuwerfen
haben, dass ich einen Mann, wie Sie, ungekannt, unge-

ehrt, unbelohnt, wenn es anders in meinem Vermögen
steht, von mir gelassen hätte. Ich habe einige meiner An-
verwandten auf heute einladen lassen, mein Vergnügen
mit ihnen zu teilen, und ihnen das Glück zu verschaffen,
5   meinen Schutzengel kennen zu lernen.

DER REIS. Mein Herr, ich muss notwendig –

DAS FRÄUL. Dableiben, mein Herr, dableiben! Ich laufe, Ihrem Bedienten zu sagen, dass er wieder abpacken soll.
Doch da ist er schon.

10

Achter Auftritt

CHRISTOPH, *in Stiefeln und Sporen, und zwei Mantelsäcke*
unter den Armen. DIE VORIGEN.

CHRIST. Nun! mein Herr, es ist alles fertig. Fort! kürzen
Sie Ihre Abschiedsformeln ein wenig ab. Was soll das
15   viele Reden, wenn wir nicht dableiben können?

DER BARON. Was hindert euch denn, hier zu bleiben?

CHRIST. Gewisse Betrachtungen, mein Herr Baron, die den
Eigensinn meines Herrn zum Grunde, und seine Großmut zum Vorwande haben.

20 DER REIS. Mein Diener ist öfters nicht klug: verzeihen Sie
ihm. Ich sehe, dass Ihre Bitten in der Tat mehr als Komplimente sind. Ich ergebe mich; damit ich nicht aus
Furcht grob zu sein, eine Grobheit begehen möge.

DER BARON. O! was für Dank bin ich Ihnen schuldig!

25 DER REIS. Ihr könnt nur gehen, und wieder abpacken! Wir
wollen erst morgen fort.

DAS FRÄUL. Nu! hört Er nicht? Was steht Er denn da? Er
soll gehn, und wieder abpacken.

CHRIST. Von Rechts wegen sollte ich böse werden. Es ist
30   mir auch beinahe, als ob mein Zorn erwachen wollte;
doch weil nichts Schlimmers daraus erfolgt, als dass wir

hier bleiben, und zu essen und zu trinken bekommen,
und wohl gepflegt werden, so mag es sein! Sonst lass ich
mir nicht gern unnötige Mühe machen: wissen Sie das?

DER REIS. Schweigt! Ihr seid zu unverschämt.

CHRIST. Denn ich sage die Wahrheit.   5

DAS FRÄUL. O! das ist vortrefflich, dass Sie bei uns bleiben.
Nun bin ich Ihnen noch einmal so gut. Kommen Sie, ich
will Ihnen unsern Garten zeigen; er wird Ihnen gefallen.

DER REIS. Wenn er Ihnen gefällt, Fräulein, so ist es schon
so gut, als gewiss.   10

DAS FRÄUL. Kommen Sie nur; – – unterdessen wird es Es-
senszeit. Papa, Sie erlauben es doch?

DER BARON. Ich werde euch sogar begleiten.

DAS FRÄUL. Nein, nein, das wollen wir Ihnen nicht zumuten. Sie werden zu tun haben.   15

DER BARON. Ich habe jetzt nichts Wichtigers zu tun, als
meinen Gast zu vergnügen.

DAS FRÄUL. Er wird es Ihnen nicht übel nehmen: nicht
wahr mein Herr? *(Sachte zu ihm.)* Sprechen Sie doch
Nein. Ich möchte gern mit Ihnen allein gehen.   20

DER REIS. Es wird mich gereuen, dass ich mich so leicht
habe bewegen lassen, hier zu bleiben, sobald ich sehe,
dass ich Ihnen im Geringsten verhinderlich bin. Ich bitte
also – –

DER BARON. O! warum kehren Sie sich an des Kindes   25
Rede?

DAS FRÄUL. Kind? – – Papa! – – beschämen Sie mich doch
nicht so! – Der Herr wird denken, wie jung ich bin! – –
Lassen Sie es gut sein; ich bin alt genug, mit Ihnen spazieren zu gehen – Kommen Sie! – – Aber sehen Sie ein- 30
mal: Ihr Diener steht noch da, und hat die Mantelsäcke
unter den Armen.

CHRIST. Ich dächte, das ginge nur den an, dem es sauer
wird?

DER REIS. Schweigt! Man erzeigt Euch zu viel Ehre – –   35

Neunter Auftritt

DER BARON *(indem er Lisetten kommen sieht)*. Mein Herr, ich
    werde Ihnen gleich nachfolgen, wann es Ihnen gefällig
5 ist, meine Tochter in den Garten zu begleiten.

DAS FRÄUL. O! bleiben Sie so lange, als es Ihnen gefällt. Wir
    wollen uns schon die Zeit vertreiben. Kommen Sie!
    (Das Fräulein und der Reisende gehen ab.)

DER BARON. Lisette, dir habe ich etwas zu sagen! – –

10 LISETTE. Nu?

DER BARON *(sachte zu ihr)*. Ich weiß noch nicht, wer unser
    Gast ist. Gewisser Ursachen wegen, mag ich ihn auch
    nicht fragen. Könntest du nicht von seinem Diener – –

LISETTE. Ich weiß, was Sie wollen. Dazu trieb mich meine
15 Neugierigkeit von selbst, und deswegen kam ich hie-
    her. –

DER BARON. Bemühe dich also, – – und gib mir Nachricht
    davon. Du wirst Dank bei mir verdienen.

LISETTE. Gehen Sie nur.

20 CHRIST. Sie werden es also nicht übel nehmen, mein Herr,
    dass wir es uns bei Ihnen gefallen lassen. Aber ich bitte,
    machen Sie sich meinetwegen keine Ungelegenheit; ich
    bin mit allem zufrieden, was da ist.

DER BARON. Lisette, ich übergebe ihn deiner Aufsicht. Lass
25 ihn an nichts Mangel leiden. *(Geht ab.)*

CHRIST. Ich empfehle mich also, Mademoiselle, Dero güti-
    gen Aufsicht, die mich an nichts wird Mangel leiden las-
    sen. *(Will abgehen.)*

Zehnter Auftritt

LISETTE *(hält ihn auf).* Nein, mein Herr, ich kann es unmöglich über mein Herz bringen, Sie so unhöflich sein
zu lassen – Bin ich denn nicht Frauenzimmers genug, um   5
einer kurzen Unterhaltung wert zu sein?

CHRIST. Der Geier! Sie nehmen die Sache genau, Mamsell.
Ob Sie Frauenzimmers genug oder zu viel sind, kann ich
nicht sagen. Wenn ich zwar aus Ihrem gesprächigen
Munde schließen sollte, so dürfte ich beinahe das Letzte   10
behaupten. Doch dem sei, wie ihm wolle; jetzt werden
Sie mich beurlauben; – – Sie sehen, ich habe Hände und
Arme voll. – – Sobald mich hungert oder dürstet, werde
ich bei Ihnen sein.

LISETTE. So macht's unser S c h i r r m e i s t e r auch.   15

CHRIST. Der Henker! das muss ein gescheuter Mann sein:
er macht's wie ich!

LISETTE. Wenn Sie ihn wollen kennen lernen: er liegt vor
dem Hinterhause an der Kette.

CHRIST. Verdammt! ich glaube gar, Sie meinen den Hund.   20
Ich merke also wohl, Sie werden den leiblichen Hunger
und Durst verstanden haben. Den aber habe ich nicht
verstanden; sondern den Hunger und Durst der Liebe.
Den, Mamsell, den! Sind Sie nun mit meiner Erklärung
zufrieden?   25

LISETTE. Besser als mit dem Erklärten.

CHRIST. Ei! im Vertrauen: – – Sagen Sie etwa zugleich auch
damit so viel, dass Ihnen ein Liebesantrag von mir nicht
zuwider sein würde?

LISETTE. Vielleicht! Wollen Sie mir einen tun? im Ernst?   30

CHRIST. Vielleicht!

LISETTE. Pfui! was das für eine Antwort ist! vielleicht!

CHRIST. Und sie war doch nicht ein Haar anders, als die
Ihrige.

LISETTE. In meinem Munde will sie aber ganz etwas anders sagen. Vielleicht, ist eines Frauenzimmers größte Versicherung. Denn so schlecht unser Spiel auch ist, so müssen wir uns doch niemals in die Karte sehen lassen.

CHRIST. Ja, wenn das ist! – Ich dächte, wir kämen also zur Sache. – – *(Er schmeißt beide Mantelsäcke auf die Erde.)* Ich weiß nicht, warum ich mir's so sauer mache? Da liegt! – – Ich liebe Sie, Mamsell.

LISETTE. Das heiß ich, mit wenigen viel sagen. Wir wollen's zergliedern – –

CHRIST. Nein, wir wollen's lieber ganz lassen. Doch, – damit wir in Ruhe einander unsre Gedanken eröffnen können; – – belieben Sie sich niederzulassen! – – Das Stehn ermüdet mich. – – Ohne Umstände! – *(Er nötiget sie auf den Mantelsack zu sitzen.)* – – Ich liebe Sie, Mamsell. – –

LISETTE. Aber, – ich sitze verzweifelt hart. – – Ich glaube gar, es sind Bücher darin – –

CHRIST. Darzu recht zärtliche und witzige; – und gleichwohl sitzen Sie hart darauf? Es ist meines Herrn Reisebibliothek. Sie besteht aus Lustspielen, die zum Weinen, und aus Trauerspielen, die zum Lachen bewegen; aus zärtlichen Heldengedichten; aus tiefsinnigen Trinkliedern, und was dergleichen neue Siebensachen mehr sind. – – Doch wir wollen umwechseln. Setzen Sie sich auf meinen; – ohne Umstände! – – meiner ist der weichste.

LISETTE. Verzeihen Sie! – – So grob werde ich nicht sein – –

CHRIST. Ohne Umstände, – ohne Komplimente! – Wollen Sie nicht? – So werde ich Sie hintragen. – –

LISETTE. Weil Sie es denn befehlen – *(Sie steht auf und will sich auf den andern setzen.)*

CHRIST. Befehlen? behüte Gott! – Nein! befehlen, will viel sagen. – – Wenn Sie es so nehmen wollen, so bleiben Sie lieber sitzen. – *(Er setzt sich wieder auf seinen Mantelsack.)*

LISETTE *(beiseite).* Der Grobian! Doch ich muss es gut sein lassen.

CHRIST. Wo blieben wir denn? – Ja, – bei der Liebe – – Ich

liebe Sie also, Mamsell. Je vous aime, würde ich sagen,
wenn Sie eine französische Marquisin wären.

LISETTE. Der Geier! Sie sind wohl gar ein Franzose?

CHRIST. Nein, ich muss meine Schande gestehn: ich bin nur
ein Deutscher. – Aber ich habe das Glück gehabt, mit
verschiedenen Franzosen umgehen zu können, und da
habe ich denn so ziemlich gelernt, was zu einem rechtschaffnen Kerl gehört. Ich glaube, man sieht mir es auch
gleich an.

LISETTE. Sie kommen also vielleicht mit Ihrem Herrn aus
Frankreich?

CHRIST. Ach nein! – –

LISETTE. Wo sonst her? freilich wohl! –

CHRIST. Es liegt noch einige Meilen hinter Frankreich, wo
wir herkommen.

LISETTE. Aus Italien doch wohl nicht?

CHRIST. Nicht weit davon.

LISETTE. Aus Engeland also?

CHRIST. Beinahe; Engeland ist eine Provinz davon. Wir
sind über funfzig Meilen von hier zu Hause – – Aber,
dass Gott! – meine Pferde, – die armen Tiere stehen noch
gesattelt. Verzeihen Sie, Mamsell! – – Hurtig! stehen Sie
auf! – – *(Er nimmt die Mantelsäcke wieder untern Arm.)* – –
Trotz meiner inbrünstigen Liebe, muss ich doch gehn,
und erst das Nötige verrichten – – Wir haben noch den
ganzen Tag, und, was das meiste ist, noch die ganze
Nacht vor uns. Wir wollen schon noch eins werden. –
Ich werde Sie wohl wieder zu finden wissen.

Eilfter Auftritt

MARTIN KRUMM. LISETTE.

LISETTE. Von dem werde ich wenig erfahren können. Entweder, er ist zu dumm, oder zu fein. Und beides macht
5 unergründlich.

MART. KR. So, Jungfer Lisette? Das ist auch der Kerl darnach, dass er mich ausstechen sollte!

LISETTE. Das hat er nicht nötig gehabt.

MART. KR. Nicht nötig gehabt? Und ich denke, wer weiß
10 wie fest ich in Ihrem Herzen sitze.

LISETTE. Das macht, Herr Vogt, Er denkt's. Leute von Seiner Art haben das Recht, abgeschmackt zu denken. Drum ärgre ich mich auch nicht darüber, dass Er's gedacht hat; sondern, dass Er mir's gesagt hat. Ich möchte
15 wissen, was Ihn mein Herz angeht? Mit was für Gefälligkeiten, mit was für Geschenken, hat Er sich denn ein Recht darauf erworben? – Man gibt die Herzen jetzt nicht mehr, so in den Tag hinein, weg. Und glaubt Er etwa, dass ich so verlegen mit dem meinigen bin? Ich
20 werde schon noch einen ehrlichen Mann dazu finden, ehe ich's vor die Säue werfe.

MART. KR. Der Teufel, das verschnupft! Ich muss eine Prise Tabak darauf nehmen. – – Vielleicht geht es wieder mit dem Niesen fort. – *(Er zieht die entwandte Dose hervor,*
25 *spielt einige Zeit in den Händen damit, und nimmt endlich, auf eine lächerlich hochmütige Art, eine Prise.)*

LISETTE *(schielt ihn von der Seite an)*. Verzweifelt! wo bekömmt der Kerl die Dose her?

MART. KR. Belieben Sie ein Prischen?

30 LISETTE. O, Ihre untertänige Magd, mein Herr Vogt! *(Sie nimmt.)*

MART. KR. Was eine silberne Dose nicht kann! – – Könnte ein Ohrwürmchen geschmeidiger sein?

LISETTE. Ist es eine silberne Dose?

MART. KR. Wann's keine silberne wäre, so würde sie Martin
Krumm nicht haben.

LISETTE. Ist es nicht erlaubt, sie zu besehn?

MART. KR. Ja, aber nur in meinen Händen.

LISETTE. Die Fasson ist vortrefflich.   5

MART. KR. Ja, sie wiegt ganzer fünf Lot. –

LISETTE. Nur der Fasson wegen, möchte ich so ein Dös-
chen haben.

MART. KR. Wenn ich sie zusammenschmelzen lasse, steht
Ihnen die Fasson davon zu Dienste.   10

LISETTE. Sie sind allzu gütig! – Es ist ohne Zweifel ein Geschenk?

MART. KR. Ja, – – sie kostet mir nicht einen Heller.

LISETTE. Wahrhaftig, so ein Geschenk könnte ein Frauenzimmer recht verblenden! Sie können Ihr Glück damit   15
machen, Herr Vogt. Ich wenigstens würde mich, wenn
man mich mit silbernen Dosen anfiele, sehr schlecht ver-
teidigen können. Mit so einer Dose hätte ein Liebhaber
gegen mich gewonnen Spiel.

MART. KR. Ich versteh's, ich versteh's! –   20

LISETTE. Da sie Ihnen so nichts kostet, wollte ich Ihnen
raten, Herr Vogt, sich eine gute Freundin damit zu machen – –

MART. KR. Ich versteh's, ich versteh's! –

LISETTE *(schmeichelnd).* Wollten Sie mir sie wohl schen-   25
ken? – –

MART. KR. O um Verzeihung! – – Man gibt die silbernen
Dosen jetzt nicht mehr, so in den Tag hinein, weg. Und
glaubt Sie denn, Jungfer Lisette, dass ich so verlegen mit
der meinigen bin? Ich werde schon noch einen ehrlichen   30
Mann dazu finden, ehe ich sie vor die Säue werfe.

LISETTE. Hat man jemals eine dümmre Grobheit gefunden! – – Ein Herz einer Schnupftabaksdose gleich zu
schätzen?

MART. KR. Ja, ein steinern Herz einer silbern Schnupfta-   35
baksdose – –

LISETTE. Vielleicht würde es aufhören, steinern zu sein, wenn – – Doch alle meine Reden sind vergebens – – Er ist meiner Liebe nicht wert – – Was ich für eine gutherzige Närrin bin! – *(will weinen)* beinahe hätte ich geglaubt, der Vogt wäre noch einer von den ehrlichen Leuten, die es meinen, wie sie es reden – :

MART. KR. Und was ich für ein gutherziger Narre bin, dass ich glaube, ein Frauenzimmer meine es, wie sie es redt! – Da, mein Lisettchen, weine Sie nicht! – *(Er gibt ihr die Dose.)* – Aber nun bin ich doch wohl Ihrer Liebe wert? – Zum Anfange verlange ich nichts, als nur ein Küsschen auf Ihre schöne Hand! – – *(Er küsst sie.)* Ah, wie schmeckt das! –

Zwölfter Auftritt

DAS FRÄULEIN. LISETTE. MARTIN KRUMM.

DAS FRÄUL. *(sie kömmt dazugeschlichen, und stößt ihn mit dem Kopfe auf die Hand).* Ei! Herr Vogt, – küss' Er mir doch meine Hand auch!

LISETTE. Dass doch! – –

MART. KR. Ganz gern, gnädiges Fräulein – *(er will ihr die Hand küssen).*

DAS FRÄUL. *(gibt ihm eine Ohrfeige).* Ihr Flegel, versteht Ihr denn keinen Spaß?

MART. KR. Den Teufel mag das Spaß sein!

LISETTE. Ha! ha! ha! *(Lacht ihn aus.)* O ich betaure Ihn, mein lieber Vogt – Ha! ha! ha!

MART. KR. So? und Sie lacht noch dazu? Ist das mein Dank? Schon gut, schon gut! *(Gehet ab.)*

LISETTE. Ha! ha! ha!

Dreizehnter Auftritt

DAS FRÄUL. Hätte ich's doch nicht geglaubt, wenn ich's nicht selbst gesehen hätte. Du lässt dich küssen? und noch dazu vom Vogt?

LISETTE. Ich weiß auch gar nicht, was Sie für Recht haben, mich zu belauschen? Ich denke, Sie gehen im Garten mit dem Fremden spazieren.

DAS FRÄUL. Ja, und ich wäre noch bei ihm, wenn der Papa nicht nachgekommen wäre. Aber so kann ich ja kein kluges Wort mit ihm sprechen. Der Papa ist gar zu ernsthaft – –

LISETTE. Ei, was nennen Sie denn ein kluges Wort? Was haben Sie denn wohl mit ihm zu sprechen, das der Papa nicht hören dürfte?

DAS FRÄUL. Tausenderlei! – Aber du machst mich böse, wo du mich noch mehr fragst. Genug, ich bin dem fremden Herrn gut. Das darf ich doch wohl gestehn?

LISETTE. Sie würden wohl greulich mit dem Papa zanken, wenn er Ihnen einmal so einen Bräutigam verschaffte? Und im Ernst, wer weiß, was er tut. Schade nur, dass Sie nicht einige Jahre älter sind: es könnte vielleicht bald zu Stande kommen.

DAS FRÄUL. O, wenn es nur am Alter liegt, so kann mich ja der Papa einige Jahr älter machen. Ich werde ihm gewiss nicht widersprechen.

LISETTE. Nein, ich weiß noch einen bessern Rat. Ich will Ihnen einige Jahre von den meinigen geben, so ist uns allen beiden geholfen. Ich bin alsdann nicht zu alt, und Sie nicht zu jung.

DAS FRÄUL. Das ist auch wahr; das geht ja an!

LISETTE. Da kömmt des Fremden Bedienter; ich muss mit

ihm sprechen. Es ist alles zu Ihrem Besten – Lassen Sie
mich mit ihm allein. – Gehen Sie.

DAS FRÄUL. Vergiss es aber nicht, wegen der Jahre – –
Hörst du, Lisette?

5 ## Vierzehnter Auftritt

LISETTE. CHRISTOPH.

LISETTE. Mein Herr, Sie hungert oder durstet gewiss, dass
Sie schon wiederkommen? nicht?

CHRIST. Ja freilich! – – Aber wohlgemerkt, wie ich den
10 Hunger und Durst erklärt habe. Ihr die Wahrheit zu gestehn, meine liebe Jungfer, so hatte ich schon, sobald ich
gestern vom Pferde stieg, ein Auge auf Sie geworfen.
Doch weil ich nur einige Stunden hier zu bleiben ver-
meinte, so glaubte ich, es verlohne sich nicht der Mühe,
15 mich mit Ihr bekannt zu machen. Was hätten wir in so
kurzer Zeit können ausrichten? Wir hätten unsern Roman von hinten müssen anfangen. Allein es ist auch nicht
allzu sicher, die Katze bei dem Schwanze aus dem Ofen
zu ziehen.

20 LISETTE. Das ist wahr! nun aber können wir schon ordentlicher verfahren. Sie können mir Ihren Antrag tun; ich
kann darauf antworten. Ich kann Ihnen meine Zweifel
machen; Sie können mir sie auflösen. Wir können uns bei
jedem Schritte, den wir tun, bedenken, und dürfen einan-
25 der nicht den Affen im Sacke verkaufen. Hätten Sie mir
gestern gleich Ihren Liebesantrag getan; es ist wahr, ich
würde ihn angenommen haben. Aber überlegen Sie einmal, wie viel ich gewagt hätte, wenn ich mich nicht einmal nach Ihrem Stande, Vermögen, Vaterlande, Bedie-

nungen, und dergleichen mehr, zu erkundigen, Zeit gehabt hätte?

CHRIST. Der Geier! wäre das aber auch so nötig gewesen?
So viel Umstände? Sie könnten ja bei dem Heiraten nicht
mehrere machen? –

LISETTE. O! wenn es nur auf eine kahle Heirat angesehen
wäre, so wär es lächerlich, wenn ich so gewissenhaft sein
wollte. Allein mit einem Liebesverständnisse ist es ganz
etwas anders! Hier wird die schlechteste Kleinigkeit zu
einem wichtigen Punkte. Also glauben Sie nur nicht, dass
Sie die geringste Gefälligkeit von mir erhalten werden,
wenn Sie meiner Neugierde nicht in allen Stücken ein
Gnüge tun.

CHRIST. Nu? wie weit erstreckt sich denn die?

LISETTE. Weil man doch einen Diener am besten nach seinem Herrn beurteilen kann, so verlange ich vor allen
Dingen zu wissen – –

CHRIST. Wer mein Herr ist? Ha! ha! das ist lustig. Sie fragen mich etwas, das ich Sie gern selbst fragen möchte,
wenn ich glaubte, dass Sie mehr wüssten, als ich.

LISETTE. Und mit dieser abgedroschnen Ausflucht denken
Sie durchzukommen? Kurz, ich muss wissen, wer Ihr
Herr ist, oder unsre ganze Freundschaft hat ein Ende.

CHRIST. Ich kenne meinen Herrn nicht länger, als seit vier
Wochen. So lange ist es, dass er mich in Hamburg in seine Dienste genommen hat. Von da aus habe ich ihn be-
gleitet, niemals mir aber die Mühe genommen, nach seinem Stande oder Namen zu fragen. So viel ist gewiss,
reich muss er sein; denn er hat weder mich, noch sich,
auf der Reise Not leiden lassen. Um was brauch ich mich
mehr zu bekümmern?

LISETTE. Was soll ich mir von Ihrer Liebe versprechen, da
Sie meiner Verschwiegenheit nicht einmal eine solche
Kleinigkeit anvertrauen wollen? Ich würde nimmermehr
gegen Sie so sein. Zum Exempel, hier habe ich eine schöne silberne Schnupftabaksdose – –

CHRIST. Ja? nu? – –

LISETTE. Sie dürften mich ein klein wenig bitten, so sagte ich Ihnen, von wem ich sie bekommen habe – –

CHRIST. O! daran ist mir nun eben so viel nicht gelegen. Lieber möchte ich wissen, wer sie von Ihnen bekommen sollte?

LISETTE. Über den Punkt habe ich eigentlich noch nichts beschlossen. Doch wenn Sie sie nicht sollten bekommen, so haben Sie es niemanden anders, als sich selbst zuzuschreiben. Ich würde Ihre Aufrichtigkeit gewiss nicht unbelohnt lassen.

CHRIST. Oder vielmehr meine Schwatzhaftigkeit! Doch, so wahr ich ein ehrlicher Kerl bin, wann ich dasmal verschwiegen bin, so bin ich's aus Not. Denn ich weiß nichts, was ich ausplaudern könnte. Verdammt! wie gern wollte ich meine Geheimnisse ausschütten, wann ich nur welche hätte.

LISETTE. Adieu! ich will Ihre Tugend nicht länger bestürmen. Nur wünsch ich, dass sie Ihnen bald zu einer silbernen Dose und einer Liebsten verhelfen möge, so wie sie Sie jetzt um beides gebracht hat. *(Will gehen.)*

CHRIST. Wohin? wohin? Geduld! *(Beiseite.)* Ich sehe mich genötigt, zu lügen. Denn so ein Geschenk werde ich mir doch nicht sollen entgehn lassen? Was wird's auch viel schaden?

LISETTE. Nun, wollen Sie es näher geben? Aber, – – ich sehe schon, es wird Ihnen sauer. Nein, nein; ich mag nichts wissen –

CHRIST. Ja, ja, Sie soll alles wissen! – – *(Beiseite.)* Wer doch recht viel lügen könnte! – Hören Sie nur! – Mein Herr ist – – ist einer von Adel. Er kömmt, – – wir kommen miteinander aus – – aus – – Holland. Er hat müssen – – gewisser Verdrüsslichkeiten wegen, – – einer Kleinigkeit – – eines Mords wegen – – entfliehen –

LISETTE. Was? eines Mords wegen?

CHRIST. Ja, – – aber eines honetten Mords – – eines Duells

wegen entfliehen – Und jetzt eben – – ist er auf der
Flucht – –

LISETTE. Und Sie, mein Freund? – –

CHRIST. Ich, bin auch mit ihm auf der Flucht. Der Entleibte hat uns – – will ich sagen, die Freunde des Entleibten   5
haben uns sehr verfolgen lassen; und dieser Verfolgung
wegen – – Nun können Sie leicht das Übrige erraten. – –
Was Geier, soll man auch tun? Überlegen Sie es selbst;
ein junger naseweiser Laffe schimpft uns. Mein Herr
stößt ihn übern Haufen. Das kann nicht anders sein! –   10
Schimpft mich jemand, so tu ich's auch, – oder – oder
schlage ihn hinter die Ohren. Ein ehrlicher Kerl muss
nichts auf sich sitzen lassen.

LISETTE. Das ist brav! solchen Leuten bin ich gut; denn ich
bin auch ein wenig unleidlich. Aber sehen Sie einmal, da   15
kömmt Ihr Herr! sollte man es ihm wohl ansehen, dass er
so zornig, so grausam wäre?

CHRIST. O kommen Sie! wir wollen ihm aus dem Wege
gehn. Er möchte mir es ansehen, dass ich ihn verraten
habe.   20

LISETTE. Ich bin's zufrieden – –

CHRIST. Aber die silberne Dose –

LISETTE. Kommen Sie nur. *(Beiseite.)* Ich will erst sehen,
was mir von meinem Herrn für mein entdecktes Ge-
heimnis werden wird: lohnt sich das der Mühe, so soll er   25
sie haben.

Funfzehnter Auftritt

DER REISENDE.

Ich vermisse meine Dose. Es ist eine Kleinigkeit; gleichwohl ist mir der Verlust empfindlich. Sollte mir sie wohl   30
der Vogt? – – Doch ich kann sie verloren haben, – ich

kann sie aus Unvorsichtigkeit herausgerissen haben. – –
Auch mit seinem Verdachte muss man niemand beleidigen. – Gleichwohl, – er drängte sich an mich heran; – er
griff nach der Uhr: – ich ertappte ihn; könnte er auch
nicht nach der Dose gegriffen haben, ohne dass ich ihn
ertappt hätte?

Sechzehnter Auftritt

MARTIN KRUMM. DER REISENDE.

MART. KR. *(als er den Reisenden gewahr wird, will er wieder
umkehren).* Hui!

DER REIS. Nu, nu, immer näher, mein Freund! – – *(Beiseite.)*
Ist er doch so schüchtern, als ob er meine Gedanken
wüsste! – – Nu? nur näher!

MART. KR. *(trotzig).* Ach! ich habe nicht Zeit! Ich weiß
schon, Sie wollen mit mir plaudern. Ich habe wichtigere
Sachen zu tun. Ich mag Ihre Heldentaten nicht zehnmal
hören. Erzählen Sie sie jemanden, der sie noch nicht
weiß.

DER REIS. Was höre ich? vorhin war der Vogt einfältig und
höflich, jetzt ist er unverschämt und grob. Welches ist
denn Eure rechte Larve?

MART. KR. Ei! das hat Sie der Geier gelernt, mein Gesicht
eine Larve zu schimpfen. Ich mag mit Ihnen nicht zanken, – sonst – – *(Er will fortgehen.)*

DER REIS. Sein unverschämtes Verfahren bestärkt mich in
meinem Argwohne. – Nein, nein, Geduld! Ich habe Euch
etwas Notwendiges zu fragen – –

MART. KR. Und ich werde nichts drauf zu antworten haben,
es mag so notwendig sein, als es will. Drum sparen Sie
nur die Frage.

DER REIS. Ich will es wagen – Allein, wie leid würde mir es

sein, wann ich ihm Unrecht täte. – – Mein Freund, habt
Ihr nicht meine Dose gesehn? – Ich vermisse sie. – –

MART. KR. Was ist das für eine Frage? Kann ich etwas dafür, dass man sie Ihnen gestohlen hat? – – Für was sehen
Sie mich an? Für den Hehler? Oder für den Dieb?   5

DER REIS. Wer redt denn vom Stehlen? Ihr verratet Euch
fast selbst – –

MART. KR. Ich verrate mich selbst? Also meinen Sie, dass
ich sie habe? Wissen Sie auch, was das zu bedeuten hat,
wenn man einen ehrlichen Kerl dergleichen beschuldigt?   10
Wissen Sie's?

DER REIS. Warum müsst Ihr so schreien? Ich habe Euch
noch nichts beschuldigt. Ihr seid Euer eigner Ankläger.
Dazu weiß ich eben nicht, ob ich großes Unrecht haben
würde? Wen ertappte ich denn vorhin, als er nach meiner 15
Uhr greifen wollte?

MART. KR. O! Sie sind ein Mann, der gar keinen Spaß versteht. Hören Sie's! – – *(Beiseite.)* Wo er sie nur nicht bei
Lisetten gesehen hat – Das Mädel wird doch nicht när-
risch sein, und sich damit breit machen – –   20

DER REIS. O! ich verstehe den Spaß so wohl, dass ich glaube, Ihr wollt mit meiner Dose auch spaßen. Allein wenn
man den Spaß zu weit treibt, verwandelt er sich endlich
in Ernst. Es ist mir um Euren guten Namen leid. Gesetzt, ich wäre überzeugt, dass Ihr es nicht böse gemeint 25
hättet, würden auch andre – –

MART. KR. Ach, – andre! – andre! – andre wären es längst
überdrüssig, sich so etwas vorwerfen zu lassen. Doch,
wenn Sie denken, dass ich sie habe: befühlen Sie mich,
– – visitieren Sie mich – –   30

DER REIS. Das ist meines Amts nicht. Dazu trägt man auch
nicht alles bei sich in der Tasche.

MART. KR. Nun gut! damit Sie sehen, dass ich ein ehrlicher
Kerl bin, so will ich meine Schubsäcke selber umwenden.
– Geben Sie Acht! – *(Beiseite.)* Es müsste mit dem Teufel 35
zugehen, wenn sie herausfiele.

DER REIS. O macht Euch keine Mühe!

MART. KR. Nein, nein: Sie sollen's sehn, Sie sollen's sehn. *(Er wendet die eine Tasche um.)* Ist da eine Dose? Brotgrümel sind drinne: das liebe Gut! *(Er wendet die andere um.)*
Da ist auch nichts! Ja, – doch! ein Stückchen Kalender. – Ich hebe es der Verse wegen auf, die über den Monaten stehen. Sie sind recht schnurrig! – Nu, aber dass wir weiterkommen. Geben Sie Acht: da will ich den dritten umwenden. *(Bei dem Umwenden fallen zwei große Bärte heraus.)* Der Henker! was lass ich da fallen?
(Er will sie hurtig aufheben, der Reisende aber ist hurtiger, und erwischt einen davon.)

DER REIS. Was soll das vorstellen?

MART. KR. *(beiseite).* O verdammt! ich denke, ich habe den Quark lange von mir gelegt.

DER REIS. Das ist ja gar ein Bart. *(Er macht ihn vors Kinn.)* Sehe ich bald einem Juden so ähnlich? – –

MART. KR. Ach geben Sie her! geben Sie her! Wer weiß, was Sie wieder denken? Ich schrecke meinen kleinen Jungen manchmal damit. Dazu ist er.

DER REIS. Ihr werdet so gut sein, und mir ihn lassen. Ich will auch damit schrecken.

MART. KR. Ach! vexieren Sie sich nicht mit mir. Ich muss ihn wiederhaben. *(Er will ihn aus der Hand reißen.)*

DER REIS. Geht, oder – –

MART. KR. *(beiseite).* Der Geier! nun mag ich sehen, wo der Zimmermann das Loch gelassen hat. – – Es ist schon gut; es ist schon gut! Ich seh's, Sie sind zu meinem Unglücke hieher gekommen. Aber, hol' mich alle Teufel, ich bin ein ehrlicher Kerl! und den will ich sehn, der mir etwas Schlimmes nachreden kann. Merken Sie sich das! Es mag kommen zu was es will, so kann ich es beschwören, dass ich den Bart zu nichts Bösem gebraucht habe. – *(Geht ab.)*

Siebzehnter Auftritt

DER REISENDE.

Der Mensch bringt mich selbst auf einen Argwohn, der ihm höchst nachteilig ist. – – Könnte er nicht einer von den verkappten Räubern gewesen sein? – Doch ich will in meiner Vermutung behutsam gehen. 5

Achtzehnter Auftritt

DER BARON. DER REISENDE.

DER REIS. Sollten Sie nicht glauben, ich wäre gestern mit den jüdischen Straßenräubern ins Handgemenge gekom- 10 men, dass ich einem davon den Bart ausgerissen hätte? *(Er zeigt ihm den Bart.)*

DER BARON. Wie verstehn Sie das, mein Herr? – – Allein, warum haben Sie mich so geschwind im Garten verlassen? 15

DER REIS. Verzeihen Sie meine Unhöflichkeit. Ich wollte gleich wieder bei Ihnen sein. Ich ging nur meine Dose zu suchen, die ich hier herum muss verloren haben.

DER BARON. Das ist mir höchst empfindlich. Sie sollten noch bei mir zu Schaden kommen? 20

DER REIS. Der Schade würde so groß nicht sein – – Allein betrachten Sie doch einmal diesen ansehnlichen Bart!

DER BARON. Sie haben mir ihn schon einmal gezeigt. Warum?

DER REIS. Ich will mich Ihnen deutlicher erklären. Ich 25 glaube – – Doch nein, ich will meine Vermutungen zurückhalten. – –

DER BARON. Ihre Vermutungen? Erklären Sie sich!

DER REIS. Nein; ich habe mich übereilt. Ich könnte mich irren – –

DER BARON. Sie machen mich unruhig.

DER REIS. Was halten Sie von Ihrem Vogt?

5 DER BARON. Nein, nein; wir wollen das Gespräch auf nichts anders lenken – – Ich beschwöre Sie bei der Wohltat, die Sie mir erzeigt haben, entdecken Sie mir, was Sie glauben, was Sie vermuten, worinne Sie sich könnten geirrt haben!

10 DER REIS. Nur die Beantwortung meiner Frage kann mich antreiben, es Ihnen zu entdecken.

DER BARON. Was ich von meinem Vogte halte? – – Ich halte ihn für einen ganz ehrlichen und rechtschaffnen Mann.

DER REIS. Vergessen Sie also, dass ich etwas habe sagen
15 wollen.

DER BARON. Ein Bart, – Vermutungen, – der Vogt, – wie soll ich diese Dinge verbinden? – Vermögen meine Bitten nichts bei Ihnen? – Sie könnten sich geirrt haben? – Gesetzt, Sie haben sich geirrt; was können Sie bei einem
20 Freunde für Gefahr laufen?

DER REIS. Sie dringen zu stark in mich. Ich sage Ihnen also, dass der Vogt diesen Bart aus Unvorsichtigkeit hat fallen lassen; dass er noch einen hatte, den er aber in der Geschwindigkeit wieder zu sich steckte; dass seine Reden
25 einen Menschen verrieten, welcher glaubt, man denke von ihm ebenso viel Übels, als er tut; dass ich ihn auch sonst über einem nicht allzu gewissenhaften – – wenigstens nicht allzu klugen Griffe, ertappt habe.

DER BARON. Es ist als ob mir die Augen auf einmal aufgin-
30 gen. Ich besorge, – Sie werden sich nicht geirrt haben. Und Sie trugen Bedenken, mir so etwas zu entdecken? – Den Augenblick will ich gehn, und alles anwenden, hinter die Wahrheit zu kommen. Sollte ich meinen Mörder in meinem eignen Hause haben?

35 DER REIS. Doch zürnen Sie nicht auf mich, wenn Sie, zum Glücke, meine Vermutungen falsch befinden sollten. Sie

haben mir sie ausgepresst, sonst würde ich sie gewiss verschwiegen haben.

DER BARON. Ich mag sie wahr oder falsch befinden, ich
werde Ihnen allzeit dafür danken.

Neunzehnter Auftritt   5

DER REISENDE, *und hernach* CHRISTOPH.

DER REIS. Wo er nur nicht zu hastig mit ihm verfährt!
Denn so groß auch der Verdacht ist, so könnte der Mann
doch wohl noch unschuldig sein. – Ich bin ganz verlegen.
– – In der Tat ist es nichts Geringes, einem Herrn seine 10
Untergebnen so verdächtig zu machen. Wenn er sie auch
unschuldig befindet, so verliert er doch auf immer das
Vertrauen zu ihnen. – Gewiss, wenn ich es recht bedenke, ich hätte schweigen sollen – Wird man nicht Eigen-
nutz und Rache für die Ursachen meines Argwohns hal- 15
ten, wenn man erfährt, dass ich ihm meinen Verlust zu-
geschrieben habe? – Ich wollte ein vieles darum schuldig
sein, wenn ich die Untersuchung noch hintertreiben
könnte –

CHRIST. *(kömmt gelacht).* Ha! ha! ha! wissen Sie, wer Sie 20
sind, mein Herr?

DER REIS. Wisst Ihr, dass Ihr ein Narr seid? Was fragt Ihr?

CHRIST. Gut! wenn Sie es denn nicht wissen, so will ich es
Ihnen sagen. Sie sind einer von Adel. Sie kommen aus
Holland. Allda haben Sie Verdrüsslichkeiten und ein Du- 25
ell gehabt. Sie sind so glücklich gewesen, einen jungen
Naseweis zu erstechen. Die Freunde des Entleibten haben
Sie heftig verfolgt. Sie haben sich auf die Flucht begeben.
Und ich habe die Ehre, Sie auf der Flucht zu begleiten.

DER REIS. Träumt Ihr, oder raset Ihr?   30

CHRIST. Keines von beiden. Denn für einen Rasenden wäre
meine Rede zu klug, und für einen Träumenden zu toll.

DER REIS. Wer hat Euch solch unsinniges Zeug weisge-
macht.

5 CHRIST. O dafür ist gebeten, dass man mir's weismacht. Allein finden Sie es nicht recht wohl ausgesonnen? In der
kurzen Zeit, die man mir zum Lügen ließ, hätte ich gewiss auf nichts Bessers fallen können. So sind Sie doch
wenigstens vor weitrer Neugierigkeit sicher!

10 DER REIS. Was soll ich mir aber aus alledem nehmen?

CHRIST. Nichts mehr, als was Ihnen gefällt; das Übrige lassen Sie mir. Hören Sie nur, wie es zuging. Man fragte
mich nach Ihrem Namen, Stande, Vaterlande, Verrichtungen; ich ließ mich nicht lange bitten, ich sagte alles,

15 was ich davon wusste; das ist: ich sagte, ich wüsste
nichts. Sie können leicht glauben, dass diese Nachricht
sehr unzulänglich war, und dass man wenig Ursache hatte, damit zufrieden zu sein. Man drang also weiter in
mich; allein umsonst! Ich blieb verschwiegen, weil ich

20 nichts zu verschweigen hatte. Doch endlich brachte mich
ein Geschenk, welches man mir anbot, dahin, dass ich
mehr sagte, als ich wusste; das ist: ich log.

DER REIS. Schurke! ich befinde mich, wie ich sehe, bei
Euch in feinen Händen.

25 CHRIST. Ich will doch nimmermehr glauben, dass ich von
ohngefähr die Wahrheit sollte gelogen haben?

DER REIS. Unverschämter Lügner, Ihr habt mich in eine
Verwirrung gesetzt, aus der – –

CHRIST. Aus der Sie sich gleich helfen können, sobald Sie

30 das schöne Beiwort, das Sie mir jetzt zu geben beliebten,
bekannter machen.

DER REIS. Werde ich aber alsdenn nicht genötiget sein,
mich zu entdecken?

CHRIST. Desto besser! so lerne ich Sie bei Gelegenheit auch

35 kennen. – Allein, urteilen Sie einmal selbst, ob ich mir
wohl, mit gutem Gewissen, dieser Lügen wegen ein Ge-

wissen machen konnte? *(Er zieht die Dose heraus.)* Betrachten Sie diese Dose! Hätte ich sie leichter verdienen
können?

DER REIS. Zeigt mir sie doch! – *(Er nimmt sie in die Hand.)*
Was seh ich?

CHRIST. Ha! ha! ha! Das dachte ich, dass Sie erstaunen
würden. Nicht wahr, Sie lögen selber ein Gesetzchen,
wenn Sie so eine Dose verdienen könnten.

DER REIS. Und also habt Ihr mir sie entwendet?

CHRIST. Wie? was?

DER REIS. Eure Treulosigkeit ärgert mich nicht so sehr, als
der übereilte Verdacht, den ich deswegen einem ehrlichen
Mann zugezogen habe. Und Ihr könnt noch so rasend
frech sein, mich überreden zu wollen, sie wäre ein, – –
obgleich beinahe ebenso schimpflich erlangtes, – Geschenk? Geht! kommt mir nicht wieder vor die Augen!

CHRIST. Träumen Sie, oder – – aus Respekt will ich das andre noch verschweigen. Der Neid bringt Sie doch nicht
auf solche Ausschweifungen? Die Dose soll Ihre sein?
Ich soll sie Ihnen, salva venia, gestohlen haben? Wenn
das wäre; ich müsste ein dummer Teufel sein, dass ich gegen Sie selbst damit prahlen sollte. – Gut, da kömmt Lisette! Hurtig komm' Sie! Helf' Sie mir doch meinen
Herrn wieder zurechte bringen.

Zwanzigster Auftritt

LISETTE. DER REISENDE. CHRISTOPH.

LISETTE. O mein Herr, was stiften Sie bei uns für Unruhe!
Was hat Ihnen denn unser Vogt getan? Sie haben den
Herrn ganz rasend auf ihn gemacht. Man redt von Bär-
ten, von Dosen, von Plündern; der Vogt weint und
flucht, dass er unschuldig wäre, dass Sie die Unwahrheit

redten. Der Herr ist nicht zu besänftigen, und jetzt hat er
sogar nach dem Schulzen und den Gerichten geschickt,
ihn schließen zu lassen. Was soll denn das alles heißen?

CHRIST. O! das ist alles noch nichts, hör' Sie nur, hör' Sie,
was er jetzt gar mit mir vorhat – –

DER REIS. Ja freilich, meine liebe Lisette, ich habe mich
übereilt. Der Vogt ist unschuldig. Nur mein gottloser Bedienter hat mich in diese Verdrüsslichkeiten gestürzt. Er
ist's, der mir meine Dose entwandt hat, derenwegen ich
den Vogt im Verdacht hatte; und der Bart kann allerdings
ein Kinderspiel gewesen sein, wie er sagte. Ich geh, ich
will ihm Genugtuung geben, ich will meinen Irrtum gestehn, ich will ihm, was er nur verlangen kann – –

CHRIST. Nein, nein, bleiben Sie! Sie müssen mir erst Genugtuung geben. Zum Henker, so rede Sie doch, Lisette,
und sage Sie, wie die Sache ist. Ich wollte, dass Sie mit
Ihrer Dose am Galgen wäre! Soll ich mich deswegen
zum Diebe machen lassen? Hat Sie mir sie nicht geschenkt?

LISETTE. Ja freilich! und sie soll Ihm auch geschenkt bleiben.

DER REIS. So ist es doch wahr? Die Dose gehört aber mir.

LISETTE. Ihnen? das habe ich nicht gewusst.

DER REIS. Und also hat sie wohl Lisette gefunden? und
meine Unachtsamkeit ist an allen den Verwirrungen
schuld? *(Zu Christophen.)* Ich habe Euch auch zu viel getan! Verzeiht mir! Ich muss mich schämen, dass ich mich
so übereilen können.

LISETTE *(beiseite).* Der Geier! nun werde ich bald klug. O!
er wird sich nicht übereilt haben.

DER REIS. Kommt, wir wollen – –

Einundzwanzigster Auftritt

DER BARON. DER REISENDE. LISETTE. CHRISTOPH.

DER BARON *(kömmt hastig herzu)*. Den Augenblick, Lisette, stelle dem Herrn seine Dose wieder zu! Es ist alles offenbar; er hat alles gestanden. Und du hast dich nicht geschämt, von so einem Menschen Geschenke anzunehmen? Nun? wo ist die Dose?

DER REIS. Es ist also doch wahr? – –

LISETTE. Der Herr hat sie lange wieder. Ich habe geglaubt, von wem Sie Dienste annehmen können, von dem könne ich auch Geschenke annehmen. Ich habe ihn so wenig gekannt, wie Sie.

CHRIST. Also ist mein Geschenk zum Teufel? Wie gewonnen, so zerronnen!

DER BARON. Wie aber soll ich, teuerster Freund, mich gegen Sie erkenntlich erzeigen? Sie reißen mich zum zweiten Mal aus einer gleich großen Gefahr. Ich bin Ihnen mein Leben schuldig. Nimmermehr würde ich, ohne Sie, mein so nahes Unglück entdeckt haben. Der Schulze, ein Mann, den ich für den ehrlichsten auf allen meinen Gütern hielt, ist sein gottloser Gehülfe gewesen. Bedenken Sie also, ob ich jemals dies hätte vermuten können? Wären Sie heute von mir gereiset – –

DER REIS. Es ist wahr – – so wäre die Hülfe, die ich Ihnen gestern zu erweisen glaubte, sehr unvollkommen geblieben. Ich schätze mich also höchst glücklich, dass mich der Himmel zu dieser unvermuteten Entdeckung aussehen hat; und ich freue mich jetzt so sehr, als ich vorher aus Furcht zu irren, zitterte.

DER BARON. Ich bewundre Ihre Menschenliebe, wie Ihre Großmut. O möchte es wahr sein, was mir Lisette berichtet hat!

DAS FRÄULEIN, *und* DIE VORIGEN.

LISETTE. Nun, warum sollte es nicht wahr sein?

DER BARON. Komm, meine Tochter, komm! Verbinde deine
Bitte mit der meinigen: ersuche meinen Erretter, deine
Hand, und mit deiner Hand mein Vermögen anzunehmen. Was kann ihm meine Dankbarkeit Kostbarers
schenken, als dich, die ich ebenso sehr liebe, als ihn?
Wundern Sie sich nur nicht, wie ich Ihnen so einen Antrag tun könne. Ihr Bedienter hat uns entdeckt, wer Sie
sind. Gönnen Sie mir das unschätzbare Vergnügen, erkenntlich zu sein! Mein Vermögen ist meinem Stande,
und dieser dem Ihrigen gleich. Hier sind Sie vor Ihren
Feinden sicher, und kommen unter Freunde, die Sie an-
beten werden. Allein Sie werden niedergeschlagen? Was
soll ich denken?

DAS FRÄUL. Sind Sie etwa meinetwegen in Sorgen? Ich ver-
sichere Sie, ich werde dem Papa mit Vergnügen gehor-
chen.

DER REIS. Ihre Großmut setzt mich in Erstaunen. Aus der
Größe der Vergeltung, die Sie mir anbieten, erkenne ich
erst, wie klein meine Wohltat ist. Allein, was soll ich Ihnen antworten? Mein Bedienter hat die Unwahrheit ge-
redt, und ich –

DER BARON. Wollte der Himmel, dass Sie das nicht einmal
wären, wofür er Sie ausgibt! Wollte der Himmel, Ihr
Stand wäre geringer, als der meinige! So würde doch
meine Vergeltung etwas kostbarer, und Sie würden vielleicht weniger ungeneigt sein, meine Bitte stattfinden zu
lassen.

DER REIS. *(beiseite).* Warum entdecke ich mich auch nicht?
– Mein Herr, Ihre Edelmütigkeit durchdringet meine
ganze Seele. Allein schreiben Sie es dem Schicksale, nicht
mir zu, dass Ihr Anerbieten vergebens ist. Ich bin – –

DER BARON. Vielleicht schon verheiratet?

DER REIS. Nein – –

DER BARON. Nun? was?

DER REIS. Ich bin ein Jude.

DER BARON. Ein Jude? grausamer Zufall!   5

CHRIST. Ein Jude?

LISETTE. Ein Jude?

DAS FRÄUL. Ei, was tut das?

LISETTE. St! Fräulein, st! ich will es Ihnen hernach sagen,
was das tut.   10

DER BARON. So gibt es denn Fälle, wo uns der Himmel
selbst verhindert, dankbar zu sein?

DER REIS. Sie sind es überflüssig dadurch, dass Sie es sein
wollen.

DER BARON. So will ich wenigstens so viel tun, als mir das   15
Schicksal zu tun erlaubt. Nehmen Sie mein ganzes Vermögen. Ich will lieber arm und dankbar, als reich und
undankbar sein.

DER REIS. Auch dieses Anerbieten ist bei mir umsonst, da
mir der Gott meiner Väter mehr gegeben hat, als ich   20
brauche. Zu aller Vergeltung bitte ich nichts, als dass Sie
künftig von meinem Volke etwas gelinder und weniger
allgemein urteilen. Ich habe mich nicht vor Ihnen ver-
borgen, weil ich mich meiner Religion schäme. Nein! ich
sahe aber, dass Sie Neigung zu mir, und Abneigung ge-   25
gen meine Nation hatten. Und die Freundschaft eines
Menschen, er sei wer er wolle, ist mir allezeit unschätzbar gewesen.

DER BARON. Ich schäme mich meines Verfahrens.

CHRIST. Nun komm ich erst von meinem Erstaunen wieder   30
zu mir selber. Was? Sie sind ein Jude, und haben das
Herz gehabt, einen ehrlichen Christen in Ihre Dienste zu
nehmen? Sie hätten mir dienen sollen. So wär es nach der
Bibel recht gewesen. Potz Stern! Sie haben in mir die
ganze Christenheit beleidigt – Drum habe ich nicht ge-   35
wusst, warum der Herr, auf der Reise, kein Schwein-

fleisch essen wollte, und sonst hundert Alfanzereien
machte. – Glauben Sie nur nicht, dass ich Sie länger begleiten werde! Verklagen will ich Sie noch dazu.

DER REIS. Ich kann es Euch nicht zumuten, dass Ihr besser,
als der andre christliche Pöbel, denken sollt. Ich will Euch
Euch nicht zu Gemüte führen, aus was für erbärmlichen
Umständen ich Euch in Hamburg riss. Ich will Euch
auch nicht zwingen, länger bei mir zu bleiben. Doch weil
ich mit Euren Diensten so ziemlich zufrieden bin, und
ich Euch vorhin außerdem in einem ungegründeten Verdachte hatte, so behaltet zur Vergeltung, was diesen Verdacht verursachte. *(Gibt ihm die Dose.)* Euren Lohn
könnt Ihr auch haben. Sodann geht, wohin Ihr wollt!

CHRIST. Nein, der Henker! es gibt doch wohl auch Juden,
die keine Juden sind. Sie sind ein braver Mann. Topp, ich
bleibe bei Ihnen! Ein Christ hätte mir einen Fuß in die
Rippen gegeben, und keine Dose!

DER BARON. Alles was ich von Ihnen sehe, entzückt mich.
Kommen Sie, wir wollen Anstalt machen, dass die Schul-
digen in sichere Verwahrung gebracht werden. O wie
achtungswürdig wären die Juden, wenn sie alle Ihnen gli-
chen!

DER REIS. Und wie liebenswürdig die Christen, wenn sie
alle Ihre Eigenschaften besäßen!

(Der Baron, das Fräulein und der Reisende gehen ab.)

Letzter Auftritt

LISETTE. CHRISTOPH.

LISETTE. Also, mein Freund, hat Er mich vorhin belogen?
CHRIST. Ja, und das aus zweierlei Ursachen. Erstlich, weil
ich die Wahrheit nicht wusste; und anderns, weil man für

eine Dose, die man wiedergeben muss, nicht viel Wahrheit sagen kann.

LISETTE. Und wann's dazu kömmt, ist Er wohl gar auch ein
Jude, so sehr Er sich verstellt?

CHRIST. Das ist zu neugierig für eine Jungfer gefragt! 5
Komm' Sie nur!

(Er nimmt sie untern Arm, und sie gehen ab.)

Anmerkungen

Der Text der vorliegenden Ausgabe folgt der Edition:

> Gotthold Ephraim Lessings sämtliche Schriften. Herausgegeben von Karl Lachmann. Dritte, auf's neue durchgesehene und vermehrte Auflage, besorgt durch Franz Muncker. Erster Band. Stuttgart: G. J. Göschen'sche Verlagshandlung. 1885. [Darin: *Die Juden.*]

Die Orthographie wurde auf der Grundlage der neuen amtlichen Rechtschreibregeln behutsam modernisiert; der originale Lautstand und grammatische Eigenheiten blieben gewahrt. Die Interpunktion folgt der Druckvorlage.

[Personen] *Stich / Krumm:* sprechende Namen, den Charakter der Figuren kennzeichnend.
Lisette: stehende Figur der Bedienten (*confidente*) in den Jugendlustspielen Lessings.

5,13 *Spitzbube:* Verbrecher.
5,19 *aller zwei Meilen:* alle zwei Meilen.
5,21 *gar:* ganz.
5,23 *aufs Höchste:* höchstens.
5,25 *zublinzt:* zublinzelt.
5,32 *verzweifelten:* verfluchten (so auch 23,16 u. ö.).
6,1 *kömmt:* veraltet für *kommt* (so auch 38,20 u. ö.).
6,4 *halbpart:* geteilt, jedem die Hälfte.
6,9 *wohlbestallter:* ordnungsgemäß eingesetzter (so auch 10,13).
6,10 *Vogt:* hier: Verwalter.
6,14 *Dero:* veraltet für *Deren*; Höflichkeitsform (so auch 21,27).
6,15 *also:* so (sehr).
6,29 *verbindlich:* verbunden; auch verpflichtet.
6,31 *verband mich darzu:* verpflichtete mich dazu.
7,16 *ohngefähr:* veraltet für *ungefähr* (so auch 39,26).
7,35 *ihnen zu viel zu tun:* ihnen Unrecht zu tun.
8,3 *über Macht:* mit aller Kraft.
8,4 *Ich lösete das Pistol auf einen:* Ich schoss mit der Pistole (früher auch Neutrum) auf einen.

8,21 *Verziehen Sie:* Bleiben Sie.

8,31 f. *da doch ... geduldet werden:* In Preußen lebten um 1749 etwa 2093 jüdische Familien.

8,36 *Betrieger:* veraltet für *Betrüger* (vgl. auch 10,22 u.ö.).

9,3 f. *alle rechtschaffne Christen:* hier u.ö. starke Deklination; im 18. Jh. neben der schwachen (*alle rechtschaffnen*) gebräuchlich.

9,7 *geblieben:* umgekommen.

9,8 *weislich:* weise.

9,19 *mit Gift vergeben:* vergiften.

9,22 *wegstipitzt:* stipitzen: veraltete Nebenform von *stibitzen* ›stehlen‹.

10,1 *sauber:* vorsichtig.

10,9 *beschwerlich falle:* lästig werde (so auch 18,25 f.).

10,10 *mich Ihnen bestens zu empfehlen:* Höflichkeitsfloskel bei der Verabschiedung.

10,21 *Schelm:* schweres Schimpfwort; etwa: Schurke.

11,10 *sinnreich:* geistreich, witzig.

11,14 *Mundsemmel:* Brötchen für die fürstliche Tafel.

11,27 *wie kann ich mir einbilden:* wie kann ich annehmen.

11,29 *mit mir erlustigen:* sich über mich lustig machen.

11,32 *Frauenzimmer:* im 18. Jh. allgemein für *Frau* (ohne negativen Sinn).

12,9 *gleichwohl:* trotzdem.

12,23 *vor sich:* an sich, für sich allein.

12,26 *in die Verbindlichkeit setzt:* verpflichtet.
weitläuftig: veraltete Nebenform von *weitläufig:* ausgiebig.

12,26 f. *mit dabei verknüpften:* mit damit verbundenen.

12,28 *saurer wird:* schwerer fällt (vgl. 20,33 f., 23,7).

13,3 f. *gemein gemacht:* vertraut gemacht, auf eine Stufe gestellt, freundschaftlich verbunden.

13,14 *Wenn:* Wann.

13,15 *Es sei noch:* Es wäre noch verständlich, verzeihlich.

13,20 *Empfindlichers:* Schmerzlicheres, Unangenehmeres (so auch 32,30 u.ö.).

13,27 *gesetzt:* vorausgesetzt (so auch 37,18 f.).

13,34 *unbequemsten:* widrigsten, schlechtesten.

14,2 *Wohlstands:* Anstands.

14,9 *so:* sowieso (so auch 26,21).

14,23 f. *die sich selbst gelassne:* die sich selbst überlassene, die unverfälschte.

14,25 *einnehmender:* sympathischer.

15,12 *genugsames Verdienst:* Verdienst genug.

15,25 *erfodert:* veraltete Nebenform von *erfordert.*
willkürliche: spontane.

15,27 *zärtlicher:* zarter, feinfühlender.

15,31 f. *Die Schuldigkeit an sich selbst:* Die bloße Pflicht.

15,33 *genugsam:* genügend.

16,16 f. *Könnte ich ... dieser Verwirrung überhoben sein!:* Könnte ich aus dieser verworrenen Situation befreit werden!

16,24 *Nur jetzt:* Soeben erst.
Schulze: Gemeindevorsteher, der die gutsherrliche Gerichtsbarkeit und das Bürgermeisteramt im Dorfe vertritt.

17,17 *Physiognomie:* Gesichtszüge.
besorge: befürchte (so auch 37,30).

17,26 f. *Ich sollte glauben:* Ich würde, möchte glauben.

18,4 *fein wild:* recht wild.

18,4 f. *liefst du vor mir:* liefst du vor mir davon.

18,8 *Unterscheid:* veraltete Nebenform von *Unterschied.*

18,27 *Was soll ich ewig davon denken?:* etwa: Was soll ich denn nur davon halten? (*ewig* als Ausdruck des Langwierigen, auch Peinlichen).

19,1 *wenn ... anders:* falls, wenn überhaupt.
in meinem Vermögen: in meiner Macht.

19,11 *Mantelsäcke:* Reisetaschen für Reiter, hinter dem Sattel zu befestigen.

19,27 *Er:* mit der 3. Person Singular wurden im 18. Jh. nichtadlige Personen, besonders Untergebene, angeredet (so auch 46,6 »Sie«).

20,7 *Nun bin ich Ihnen noch einmal so gut:* Nun habe ich Sie doppelt so gern.

20,19 *Sachte:* Leise.

20,23 *verhinderlich:* hinderlich, lästig.

21,4 *wann:* wenn (so auch 31,13 u. ö.).

21,4 f. *gefällig ist:* gefällt.

22,5 *Bin ich ... nicht Frauenzimmers genug:* veraltete Genitiv-Konstruktion: Bin ich nicht Frau genug (vgl. Anm. zu 11,32).

22,7 *Der Geier:* Fluch (wie 22,16 »Der Henker!«, 22,25 »Der Teufel« u. ä.).
Mamsell: (von frz. *Mademoiselle* ›Fräulein‹) Bezeichnung bürgerlicher unverheirateter Frauen.

22,15 *Schirrmeister:* Knecht, der für das Pferdegeschirr zu sorgen hat.

22,16 *gescheuter:* veraltet für *gescheiter.*

23,3 f. *müssen:* dürfen (so auch 32,12 u.ö.).

23,9 *mit wenigen:* mit wenigem.

24,1 *Je vous aime:* (frz.) Ich liebe Sie.

24,2 *Marquisin:* (von frz. *Marquise*) weiblicher Adelstitel (dt. *Markgräfin*).

24,4 f. *nur ein Deutscher:* Anspielung auf die von Lessing häufig kritisierte Überschätzung des französischen Geschmacks in Fragen der Kunst, Mode usw.

24,21 *dass Gott!:* elliptischer Überraschungsausruf, etwa: »dass (es) Gott erbarm'!«

24,22 *Hurtig!:* Schnell! (so auch 35,11 u.ö.).

24,26 *was das meiste ist:* was das Wichtigste ist.

25,4 *fein:* klug, spitzfindig.

25,6 *Jungfer:* (von Jungfrau) Anrede an unverheiratete bürgerliche Frauen.

25,12 *abgeschmackt:* albern, töricht.

25,21 *vor die Säue werfe:* nach der sprichwörtlichen Redensart »Perlen vor die Säue werfen« ›etwas Kostbares an einen Unwürdigen verschwenden‹.

25,22 *das verschnupft!:* das kränkt!

25,24 *entwandte:* entwendete, gestohlene.

25,30 *Ihre untertänige Magd:* höfliche Dankesfloskel.

26,5 *Fasson:* (frz.) Machart, Gestaltung.

26,6 *Lot:* früheres Handelsgewichtsmaß (16²/₃ g).

27,19 *Dass doch!:* Zornesausruf; zu ergänzen eine Verwünschung (»der Donner einschlüge« o.ä.).

27,25 *betaure:* veraltete Nebenform von *bedaure.*

28,17 *wo:* wenn.

28,17 f. *ich bin dem fremden Herrn gut:* ich bin dem fremden Herrn gewogen, habe ihn gern (vgl. Anm. zu 20,7).

28,32 *das geht ... an:* das ist möglich, richtig.

29,25 *den Affen im Sacke verkaufen:* vgl. die geläufigere Redensart »die Katze im Sack kaufen«: sich von jemandem etwas Ungeprüftes aufschwatzen lassen.

30,5 *mehrere:* mehr.

30,6 f. *wenn es nur ... angesehen wäre:* wenn nur beabsichtigt wäre. *kahle:* bloße.

30,9 *schlechteste:* einfachste, geringste.

30,12 f. *meiner Neugierde ...ein Gnüge tun:* meine Neugierde befriedigen.

31,26 *wollen Sie es näher geben?:* wollen Sie mehr darüber sagen?
31,33 *Verdrüsslichkeiten:* Verdrießlichkeiten, Unannehmlichkeiten (so öfter).
31,36 *honetten:* ehrbaren, ehrenhaften.
32,4 f. *Der Entleibte:* Der Getötete.
32,9 *naseweiser Laffe:* vorwitziger (die Nase in alles steckender) Tölpel.
schimpft uns: beleidigt uns.
32,10 *stößt ihn:* nämlich mit dem Degen.
32,15 *unleidlich:* unduldsam.
32,24 *entdecktes:* aufgedecktes, enthülltes.
33,21 *Larve:* Maske; hier abwertend für das eigentliche Gesicht.
34,4 f. *Für was sehen Sie mich an?:* Für was halten Sie mich?
34,20 *sich damit breit machen:* damit prahlen.
34,22 *Allein:* Jedoch.
34,30 *visitieren:* durchsuchen.
34,31 *Das ist meines Amtes nicht:* Das ist nicht meine Aufgabe.
34,34 *Schubsäcke:* Taschen.
35,3 f. *Brotgrümel:* veraltete Nebenform von *Brotkrümel.*
35,7 *schnurrig:* possenhaft, drollig, lustig.
35,13 *vorstellen:* bedeuten.
35,15 *von mir gelegt:* weggelegt.
35,17 *bald:* beinahe.
35,23 *vexieren:* sich einen Spaß machen, quälen.
35,26 f. *wo der Zimmermann das Loch gelassen hat:* Redensart: wo die Tür, der Ausgang ist.
36,5 *verkappten:* vermummten, verkleideten.
36,6 *behutsam gehen:* vorsichtig sein.
37,8 *worinne:* veraltet für *worin.*
38,17 f. *Ich wollte ein vieles darum schuldig sein:* Ich würde viel darum geben.
38,20 *kömmt gelacht:* kommt lachend.
38,30 *raset Ihr?:* seid Ihr wahnsinnig?
39,5 *dafür ist gebeten:* dazu kommt es nicht.
39,7 f. *hätte ich ... auf nichts Bessers fallen können:* hätte mir nichts Besseres einfallen können.
39,10 *Was soll ich mir ... aus alledem nehmen?:* Wie soll ich das alles verstehen?
39,25 f. *von ohngefähr:* zufällig (vgl. Anm. zu 7,16).
39,33 *zu entdecken:* zu erkennen zu geben.

39,36–40,1 *ein Gewissen machen:* Gewissensbisse haben.

40,19 *Ausschweifungen:* abwegige Gedanken.

40,20 *salva venia:* (lat.) mit Verlaub.

41,3 *schließen:* einsperren.

41,26 *Christophen:* Dativ von *Christoph* (im 18. Jh. übliche Deklination von Eigennamen; vgl. auch 34,19 *Lisetten*).

41,26 f. *zu viel getan:* Unrecht getan.

41,28 *übereilen können:* grammatisch verkürzte Form, die im 18. Jh. geläufig war; zu ergänzen: habe übereilen können.

43,29 f. *stattfinden zu lassen:* zuzulassen.

44,13 *überflüssig:* im Übermaß.

44,20 *Gott meiner Väter:* alttestamentarische Formel.

44,25 *sahe:* veraltete Form von *sah.*

44,29 *Verfahrens:* Vorgehens-, Verhaltensweise.

44,34 *Potz Stern!:* Fluch; Potz: euphemistisch für *Gottes.*

45,1 *Alfanzereien:* Narrheiten, Possen.

45,3 *Verklagen will ich Sie:* Anspielung auf das Gesetz, das Juden verbot, einen Christen zum Diener zu nehmen.

45,15 *Topp:* zustimmender Ausruf, etwa: Einverstanden!

45,19 *Anstalt machen:* Vorbereitungen treffen, veranlassen.

45,30 *anderns:* zum andern, zweitens.

Dokumente zur Entstehung und Wirkung

GOTTHOLD EPHRAIM LESSING in der »Vorrede« zu den
Schriften, Dritter und Vierter Teil (1754):

»Ich komme vielmehr sogleich auf den vierten Teil, von
dessen Inhalte sich mehr sagen läßt, weil er niemanden
oder, welches einerlei ist, weil er alle und jede angeht. Er
enthält Lustspiele.

Ich muß es, der Gefahr belacht zu werden unbeachtet,
gestehen, daß unter allen Werken des Witzes die Komödie
dasjenige ist, an welches ich mich am ersten gewagt habe.
Schon in Jahren, da ich nur die Menschen aus Büchern
kannte – – beneidenswürdig ist der, der sie niemals näher
kennen lernt! – – beschäftigten mich die Nachbildungen
von Toren, an deren Dasein mir nichts gelegen war. Theophrast, Plautus und Terenz waren meine Welt, die ich in
dem engen Bezirke einer klostermäßigen Schule[1] mit aller
Bequemlichkeit studierte – – Wie gerne wünschte ich mir
diese Jahre zurück; die einzigen, in welchen ich glücklich
gelebt habe. [...]

Das zweite Lustspiel, welches man in dem vierten Teile
finden wird, heißt ›Die Juden‹. Es war das Resultat einer
sehr ernsthaften Betrachtung über die schimpfliche Unterdrückung, in welcher ein Volk seufzen muß, das ein Christ,
sollte ich meinen, nicht ohne eine Art von Ehrerbietung betrachten kann. Aus ihm, dachte ich, sind ehedem soviel
Helden und Propheten aufgestanden, und jetzo zweifelt
man, ob ein ehrlicher Mann unter ihm anzutreffen sei?
Meine Lust zum Theater war damals so groß, daß sich alles,
was mir in den Kopf kam, in eine Komödie verwandelte.

---

1 St. Afra in Meißen, eine der drei sächsischen Fürstenschulen, die Lessing
1741–46 nach Absolvierung der städtischen Lateinschule in Kamenz besuch-
te.

Ich bekam also gar bald den Einfall, zu versuchen, was es
für eine Wirkung auf der Bühne haben werde, wenn man
dem Volke die Tugend da zeigte, wo es sie ganz und gar
nicht vermutet. Ich bin begierig mein Urteil zu hören.«

Abdruck nach: Lessings Werke. Hrsg. von Julius
Petersen und Waldemar von Olshausen. T. 7. Ber-
lin/Leipzig/Wien/Stuttgart [1925]. S. 39, 41.

JOHANN DAVID MICHAELIS[2] in einer Rezension über
Lessings *Juden* (*Göttingische Anzeigen von Gelehrten
Sachen*, 1754, 13. Juni):

»Der vierte Theil von Hrn. Leßings Schriften beträgt 312
Seiten, darauf wir zwey Lust-Spiele lesen. Das erste, der
junge Gelehrte, ist schon vor 6 Jahren auf der Neuberi-
schen Schau-Bühne zu Leipzig aufgeführt, aber noch nie
gedruckt: man hat es damahls, wie wir aus der Vorrede des
dritten Theils sehen, mit Beyfall aufgenommen, dessen es
auch würdig ist. Das zweite führt die Ueberschrift, d i e
J u d e n , und verdient wegen seiner Absicht eine nähere
Bekanntmachung und Beurtheilung als das vorige, obgleich
jenes uns noch ausgearbeiteter vorkommt. Der Inhalt ist
kurtz dieser: ein Baron wird nahe bey seinen Gütern von
zwey vermummeten Dieben überfallen, von einem dazu
kommenden Reisenden aber gerettet. Er nimmt diesen mit
sich, beherbergt ihn in seinem Schlosse, und weiß nicht genug, wie er ihm seine Danckbarkeit bezeigen soll, so gar
daß er ihm zuletzt die Hand seiner Tochter selbst anbietet,
wozu diese noch williger als der Vater ist. Man hält indes-
sen die Straßen-Räuber vor Juden, und es wird bey der Gelegenheit von Bedienten und Herrn sehr auf die Juden ge-
scholten, in deren Gesichtszügen der Baron Betrug und
Meineid lesen kann. Dem Reisenden wird eine Schnupf-Ta-

---

2 Protestantischer Theologe (1717–91), seit 1746 Professor der Philosophie in
  Göttingen, seit 1750 ordentlicher Professor der orientalischen Sprachen.

backs-Dose entwendet, das giebt Gelegenheit, daß der Vogt des Gutes seine Taschen vor ihm ausleeren will, um zu zeigen, er habe sie nicht, aus deren einer ihm zwey Juden-Bärte entfallen. Die Diebe werden entdeckt. Als aber am Ende dem Reisenden die Tochter angetragen wird, und er sie verbitten muß, gestehet er, er sey ein Jude, und unter der Verwunderung und Beschämung, darin dieses Geständniß den Baron setzt, hört das Lust-Spiel auf. Der Endzweck gehet auf eine sehr ernsthafte Sitten-Lehre, nehmlich die Thorheit und Unbilligkeit des Hasses und der Verachtung zu zeigen, damit wir den Juden meistentheils begegnen. Man kann daher dieses Lust-Spiel nicht lesen, ohne daß einem die mit gleichem Endzweck gedichtete Erzählung von einem ehrlichen Juden, die in Hrn. Gellerts Schwedischer Grävin stehet, beyfallen muß. Bey Lesung beider aber ist uns stets das Vergnügen, so wir reichlich empfunden haben, durch etwas unterbrochen worden, das wir entweder zu Hebung des Zweifels oder zu künftiger Verbesserung der Erdichtungen dieser Art bekannt machen wollen. Der unbekannte Reisende ist in allen Stücken so vollkommen gut, so edelmüthig, so besorgt, ob er auch etwan seinem Nächsten Unrecht thun und ihn durch ungegründeten Verdacht beleidigen möchte, gebildet, daß es zwar nicht unmöglich, aber doch allzu unwahrscheinlich ist, daß unter einem Volcke von den Grund-Sätzen, Lebens-Art, und Erziehung, das wircklich die üble Begegnung der Christen auch zu sehr mit Feindschaft oder wenigstens mit Kaltsinnigkeit gegen die Christen erfüllen muß, ein solches edles Gemüth sich gleichsahm selbst bilden könne. Diese Unwahrscheinlichkeit störte unser Vergnügen desto mehr, jemehr wir dem edlen und schönen Bilde Wahrheit und Daseyn wünscheten. Aber auch die mittelmäßige Tugend und Redlichkeit findet sich unter diesem Volcke so selten, daß die wenigen Beyspiele davon den Haß gegen dasselbe nicht so sehr mindern, als man wünschen möchte. Bey den Grundsätzen der Sitten-Lehre, welche zum wenigsten der grosse Theil

desselben angenommen hat, ist auch eine allgemeinere Redlichkeit kaum möglich, sonderlich da fast das gantze Volck
von der Handlung[3] leben muß, die mehr Gelegenheit und
Versuchung zum Betruge giebt als andere Lebens-Arten.
Wir haben in unsern Gedancken dieses Leßingische Lust-
Spiel aus Deutschland nach England hinüber gebracht, wo
im vorigen Jahre eine Comödie von der Art nöthig gewesen
seyn könnte, um das Volck von seinem ausschweifenden
Haß gegen die Juden und von seiner Widersetzung gegen
die Juden-Acte zurück zu bringen.[4] Dis wäre ein Schau-
Platz, wo es sich Ruhm erwerben könnte. Allein es kam
uns stets vor, die Zuschauer würden aus Mangel der Wahrscheinlichkeit, daß es solche Juden gebe, nicht gerühret
seyn. Dürften wir Hrn. Leßing einen Vorschlag zu einem
andern Lust-Spiel thun, wo er mehr Vortheil finden möchte? Wie? wann er den Juden, den er lobenswürdig machen
will, an einen Ort setzte, wo ihn die Unterdrückung, die er
mit den Protestanten gemein hat, uns beliebter, und es
wahrscheinlicher macht, daß er gegen Christen, die nicht
seine Verfolger sind, gut gesinnet seyn werde? Oder wenn
er ihn aus jenen Ländern flüchten liesse? Wie wenn entweder dieses oder ein anderes Lust-Spiel Christen unter eben
der Bedrängniß vorstellete unter der die Juden sind, um
den Einfluß derselben in die Gemüths-Art zu zeigen, und
dadurch einen Theil der Laster der Juden, die mehr Laster
ihres Unglücks und ihrer Lebens-Art als der Leute und des
Volcks selbst sind, mitleydenswürdiger zu machen. Wir
sind versichert, daß Hr. L. uns diese Erinnerungen nicht
übel nehmen werde: schätzten wir ihn und seine Schau-
Spiele nicht sehr hoch, so würden wir nicht so sorgfältig
seyn, die Fehler, die wir zu entdecken meinen, anzuzeigen,

---

3 Vom Handel.
4 Gemeint sind die Unruhen, die England 1753 ergriffen, als aufgrund der Na-
turalisationsbill den in England geborenen oder sich dort bereits seit längerer
Zeit aufhaltenden Juden das Recht auf die Einbürgerung zuerkannt werden
sollte.

damit durch Ausbesserung derselben das Schau-Spiel selbst noch mehr verschönert werden möge. Wir wünschen von ihm, ja wir hoffen noch von seiner geschickten Erfindung und Ausführung, ein Lust-Spiel von der Materie, das sich auch unter solchen Umständen, als vor einiger Zeit in England waren, auf den Schau-Platz wagen und wiedrig gesinneten Zuschauern gefallen könne.«

> Abdruck nach: Julius Braun (Hrsg.): Lessing im Urtheile seiner Zeitgenossen. Zeitungskritiken, Berichte und Notizen, Lessing und seine Werke betreffend, aus den Jahren 1747–1781. Bd. 1. Berlin 1884. S. 35–37.

LESSING über sein Lustspiel *Die Juden* (1754):

»Unter den Beifall, welchen die zwei Lustspiele in dem vierten Teile meiner Schriften gefunden haben, rechne ich mit Recht die Anmerkungen, deren man das eine, ›Die Juden‹, wertgeschätzt hat. Ich bitte sehr, daß man es keiner Unleidlichkeit des Tadels[5] zuschreibe, wenn ich mich eben jetzt gefaßt mache, etwas darauf zu antworten. Daß ich sie nicht mit Stillschweigen übergehe, ist vielmehr ein Zeichen, daß sie mir nicht zuwider gewesen sind, daß ich sie überlegt habe und daß ich nichts mehr wünsche, als billige Urteile der Kunstrichter zu erfahren, die ich auch alsdenn, wenn sie mich unglücklicherweise nicht überzeugen sollten, mit Dank erkennen werde.

Es sind diese Anmerkungen in dem 70ten Stücke der ›Göttingschen Anzeigen von gelehrten Sachen‹, dieses Jahres, gemacht worden, und in den ›Jenaischen gelehrten Zeitungen‹[6] hat man ihnen beigepflichtet. Ich muß sie notwen-

---

5 Unfähigkeit, Tadel zu ertragen.
6 Es hatte dort geheißen: »Es ist auch in diesem Stücke [*Die Juden*] viel Schönes; ob wir gleich nicht bergen können, daß uns dasjenige, was in einer auswärtigen Zeitung darbei angemerket worden, keine überflüssige Erinnerung zu sein scheint.«

dig hersetzen, wenn ich denjenigen von meinen Lesern, welchen sie nicht zu Gesichte gekommen sind, nicht undeutlich sein will. ›Der Endzweck dieses Lustspiels‹, hat mein Hr. Gegner die Gütigkeit zu sagen, ›ist eine sehr ernsthafte Sittenlehre, nämlich die Torheit und Unbilligkeit des Hasses und der Verachtung zu zeigen, womit wir den Juden meistenteils begegnen. Man kann daher dieses Lustspiel nicht lesen, ohne daß einem die mit gleichem Endzweck gedichtete Erzählung von einem ehrlichen Juden, die in Hrn. Gellerts ›Schwedischer Gräfin‹ stehet, beifallen muß. Bei Lesung beider aber ist uns stets das Vergnügen, so wir reichlich empfunden haben, durch etwas unterbrochen worden, das wir entweder zu Hebung des Zweifels oder zu künftiger Verbesserung der Erdichtungen dieser Art bekannt machen wollen. Der unbekannte Reisende ist in allen Stücken so vollkommen gut, so edelmütig, so besorgt, ob er auch etwan seinem Nächsten unrecht tun und ihn durch ungegründeten Verdacht beleidigen möchte, gebildet, daß es zwar nicht unmöglich, aber doch allzu unwahrscheinlich ist, daß unter einem Volke von den Grundsätzen, Lebensart und Erziehung, das wirklich die üble Begegnung der Christen auch zu sehr mit Feindschaft, oder wenigstens mit Kaltsinnigkeit gegen die Christen erfüllen muß, ein solches edles Gemüt sich gleichsam selbst bilden könne. Diese Unwahrscheinlichkeit stört unser Vergnügen desto mehr, jemehr wir dem edeln und schönen Bilde Wahrheit und Dasein wünscheten. Aber auch die mittelmäßige Tugend und Redlichkeit findet sich unter diesem Volke so selten, daß die wenigen Beispiele davon den Haß gegen dasselbe nicht so sehr mindern, als man wünschen möchte. Bei den Grundsätzen der Sittenlehre, welche zum wenigsten der größte Teil derselben angenommen hat, ist auch eine allgemeine Redlichkeit kaum möglich, sonderlich da fast das ganze Volk von der Handlung leben muß, die mehr Gelegenheit und Versuchung zum Betruge gibt, als andre Lebensarten.‹

Man sieht leicht, daß es bei diesen Erinnerungen auf zwei Punkte ankömmt. Erstlich darauf, ob ein rechtschaffner und edler Jude an und vor sich selbst etwas Unwahrscheinliches sei; zweitens ob die Annehmung eines solchen Juden in meinem Lustspiele unwahrscheinlich sei. Es ist offenbar, daß der eine Punkt den andern hier nicht nach sich zieht; und es ist ebenso offenbar, daß ich mich eigentlich nur des letztern wegen in Sicherheit setzen dürfte, wenn ich die Menschenliebe nicht meiner Ehre vorzöge, und nicht lieber eben bei diesem, als bei dem erstern verlieren wollte. Gleichwohl aber muß ich mich über den letztern zuerst erklären.

Habe ich in meinem Lustspiele einen rechtschaffnen und edeln Juden wider die Wahrscheinlichkeit angenommen? – – Noch muß ich dieses nur bloß nach den eignen Begriffen meines Gegners untersuchen. Er gibt zur Ursache der Unwahrscheinlichkeit eines solchen Juden die Verachtung und Unterdrückung, in welcher dieses Volk seufzet, und die Notwendigkeit an, in welcher es sich befndet, bloß und allein von der Handlung zu leben. Es sei; folgt aber also nicht notwendig, daß die Unwahrscheinlichkeit wegfalle, sobald diese Umstände sie zu verursachen aufhören? Wenn hören sie aber auf, dieses zu tun? Ohne Zweifel alsdann, wenn sie von andern Umständen vernichtet werden, das ist, wenn sich ein Jude imstande befindet, die Verachtung und Unterdrückung der Christen weniger zu fühlen, und sich nicht gezwungen sieht, durch die Vorteile eines kleinen nichtswürdigen Handels ein elendes Leben zu unterhalten. Was aber wird mehr hierzu erfordert, als Reichtum? Doch ja, auch die richtige Anwendung dieses Reichtums wird dazu erfordert. Man sehe nunmehr, ob ich nicht beides bei dem Charakter meines Juden angebracht habe. Er ist reich; er sagt es selbst von sich, daß ihm der Gott seiner Väter mehr gegeben habe, als er brauche; ich lasse ihn auf Reisen sein; ja, ich setze ihn sogar aus derjenigen Unwissenheit, in welcher man ihn vermuten könnte; er lieset, und ist auch nicht einmal auf der Reise ohne Bücher. Man sage mir, ist es also nun noch wahr, daß sich mein Jude hätte selbst bilden müssen? Besteht man aber darauf, daß Reichtum, bessere Erfahrung und ein aufgeklärterer Verstand nur bei einem Juden keine Wirkung haben könnten: so muß ich sagen, daß dieses eben das Vorurteil ist, welches ich durch mein Lustspiel zu schwächen gesucht habe; ein Vorurteil, das nur aus Stolz oder Haß fließen kann und die Juden nicht bloß zu rohen Menschen macht, sondern sie in der Tat weit unter die Menschheit setzt. Ist dieses Vorurteil nun bei meinen Glaubensgenossen unüberwindlich, so darf ich mir nicht schmeicheln, daß man mein Stück jemals mit Vergnügen sehen werde. Will ich sie denn aber bereden, einen jeden Juden für rechtschaffen und großmütig zu halten, oder auch nur die meisten dafür gelten zu lassen? Ich sage es gerade heraus: noch alsdenn, wenn mein Reisender ein Christ wäre, würde sein Charakter sehr selten sein, und wenn das Seltene bloß das Unwahrscheinliche ausmacht, auch sehr unwahrscheinlich. – –

Ich bin schon allmählich auf den ersten Punkt gekommen. Ist denn ein Jude, wie ich ihn angenommen habe, vor sich selbst unwahrscheinlich? Und warum ist er es? Man wird sich wieder auf die obigen Ursachen berufen. Allein, können denn diese nicht wirklich im gemeinen Leben ebensowohl wegfallen, als sie in meinem Spiele wegfallen? Freilich muß man, dieses zu glauben, die Juden näher kennen, als aus dem lüderlichen Gesindel, welches auf den Jahrmärkten herumschweift. – – Doch ich will lieber hier einen andern[7] reden lassen, dem dieser Umstand näher an das Herz gehen muß; einen aus dieser Nation selbst. Ich kenne ihn zu wohl, als daß ich ihm hier das Zeugnis eines ebenso witzigen, als gelehrten und rechtschaffnen Mannes

7 Gemeint ist der jüdische Philosoph Moses Mendelssohn (1729–86), der 1743 nach Berlin kam, wo er sich zusätzlich zu seiner traditionellen jüdischen Ausbildung gründliche philosophische, mathematische und literarische Kenntnisse aneignete. 1754 begann er, mit Veröffentlichungen hervorzutreten, mit denen er sich in deutscher Sprache an Juden und Nichtjuden wandte. Im gleichen Jahr traf er mit Lessing zusammen. 1763 wurde ihm von Friedrich II. der Status eines »außerordentlichen Schutzjuden« verliehen.

versagen könnte. Folgenden Brief hat er bei Gelegenheit der Göttingischen Erinnerung an einen Freund[8] in seinem Volke, der ihm an guten Eigenschaften völlig gleich ist, geschrieben. Ich sehe es voraus, daß man es schwerlich glauben, sondern vielmehr diesen Brief für eine Erdichtung von mir halten wird; allein ich erbiete mich, denjenigen, dem daran gelegen ist, unwidersprechlich von der Authentizität desselben zu überzeugen. Hier ist er.

Mein Herr,
Ich überschicke Ihnen hier das 70 Stück der Göttingschen gelehrten Anzeigen. Lesen Sie den Artikel von Berlin. Die Herren Anzeiger recensiren den 4ten Theil der Lessingschen Schriften, die wir so oft mit Vergnügen gelesen haben. Was glauben Sie wohl, daß sie an dem Lustspiele ›Die Juden‹ aussetzen? Den Hauptcharakter, welcher, wie sie sich ausdrücken, viel zu edel und viel zu großmütig ist. Das Vergnügen, sagen sie, das wir über die Schönheit eines solchen Charakters empfinden, wird durch dessen Unwahrscheinlichkeit unterbrochen, und endlich bleibt in unsrer Seele nichts, als der bloße Wunsch für sein Dasein übrig. Diese Gedanken machten mich schamrot. Ich bin nicht imstande alles auszudrücken, was sie mich haben empfinden lassen. Welche Erniedrung für unsere bedrängte Nation! Welche übertriebene Verachtung! Das gemeine Volk der Christen hat uns von jeher als den Auswurf der Natur, als Geschwüre der menschlichen Gesellschaft angesehen. Allein von gelehrten Leuten erwartete ich jederzeit eine billigere Beurteilung; von diesen vermutete ich die uneingeschränkte Billigkeit, deren Mangel uns insgemein vorgeworfen zu werden pflegt. Wie sehr habe ich mich geirrt, als ich einem jeden christlichen Schriftsteller so viel Aufrichtigkeit zutraute, als er von andern fordert.

---

8 Lessing meint den jüdischen Arzt Dr. Aaron Emmerich Gumpertz, der die Bekanntschaft zwischen Lessing und Mendelssohn vermittelte.

In Wahrheit! mit welcher Stirne kann ein Mensch, der
noch ein Gefühl der Redlichkeit in sich hat, einer ganzen
Nation die Wahrscheinlichkeit absprechen, einen einzigen
ehrlichen Mann aufweisen zu können? Einer Nation, aus
welcher, wie sich der Verfasser der ›Juden‹ ausdrückt, alle
Propheten und die grössesten Könige aufstanden? Ist sein
grausamer Richterspruch gegründet? Welche Schande für
das menschliche Geschlecht! Ungegründet? Welche Schande für ihn!

Ist es nicht genug, daß wir den bittersten Haß der Christen auf so manche grausame Art empfinden müssen; sollen
auch diese Ungerechtigkeiten wider uns durch Verleum-
dungen gerechtfertigt werden?

Man fahre fort, uns zu unterdrücken, man lasse uns beständig mitten unter freien und glückseligen Bürgern einge-
schränkt leben, ja man setze uns ferner dem Spotte und der
Verachtung aller Welt aus; nur die Tugend, den einzigen
Trost bedrängter Seelen, die einzige Zuflucht der Verlasse-
nen, suche man uns nicht gänzlich abzusprechen.

Jedoch man spreche sie uns ab, was gewinnen die Herren
Rezensenten dabei? Ihre Kritik bleibet dennoch unverant-
wortlich. Eigentlich soll der Charakter des reisenden Juden
(ich schäme mich, wann ich ihn von dieser Seite betrachte)
das Wunderbare, das Unerwartete in der Komödie sein. Soll
nun der Charakter eines hochmütigen Bürgers, der sich zum
türkischen Fürsten machen läßt, so unwahrscheinlich nicht
sein, als eines Juden, der großmütig ist? Laßt einen Menschen, dem von der Verachtung der jüdischen Nation nichts
bekannt ist, der Aufführung dieses Stückes beiwohnen; er
wird gewiß, während des ganzen Stückes für lange Weile
gähnen, ob es gleich für uns sehr viele Schönheiten hat. Der
Anfang wird ihn auf die traurige Betrachtung leiten, wie
weit der Nationalhaß getrieben werden könne, und über das
Ende wird er lachen müssen. Die guten Leute, wird er bei
sich denken, haben doch endlich die große Entdeckung gemacht, daß Juden auch Menschen sind. So menschlich denkt
ein Gemüt, das von Vorurteilen gereinigt ist.

Nicht daß ich durch diese Betrachtung dem Lessingschen Schauspiele seinen Wert entziehen wollte; keineswegs! Man weiß, daß sich der Dichter überhaupt, und insbesondere, wenn er für die Schaubühne arbeitet, nur nach der unter dem Volke herrschenden Meinung zu richten habe. Nach dieser aber muß der unvermutete Charakter des Juden eine sehr rührende Wirkung auf die Zuschauer tun. Und insoweit ist ihm die ganze jüdische Nation viele Verbindlichkeit schuldig, daß er sich Mühe gibt, die Welt von einer Wahrheit zu überzeugen, die für sie von großer Wichtigkeit sein muß.

Sollte diese Rezension, diese grausame Seelenverdammung nicht aus der Feder eines Theologen geflossen sein? Diese Leute denken der christlichen Religion einen großen Vorschub zu thun, wenn sie alle Menschen, die keine Christen sind, für Meuchelmörder und Straßenräuber erklären. Ich bin weit entfernt, von der christlichen Religion so schimpflich zu denken; das wäre ohnstreitig der stärkste Beweis wider ihre Wahrhaftigkeit, wenn man sie festzustellen alle Menschlichkeit aus den Augen setzen müßte.

Was können uns unsere strengen Beurteiler, die nicht selten ihre Urteile mit Blute versiegeln, Erhebliches vorrükken? Laufen nicht alle ihre Vorwürfe auf den unersättlichen Geiz hinaus, den sie vielleicht durch ihre eigene Schuld, bei dem gemeinen jüdischen Haufen zu finden, frohlocken? Man gebe ihnen diesen zu; wird es denn deswegen aufhören wahrscheinlich zu sein, daß ein Jude einem Christen, der in räuberische Hände gefallen ist, das Leben gerettet haben sollte? Oder wenn er es getan, muß er sich notwendig das edle Vergnügen, seine Pflicht in einer so wichtigen Sache beobachtet zu haben, mit niederträchtigen Belohnungen versalzen lassen? Gewiß nicht! Zuvoraus wenn er in solchen Umständen ist, in welche der Jude im Schauspiele gesetzt worden.

Wie aber, soll dieses unglaublich sein, daß unter einem Volke von solchen Grundsätzen und Erziehung ein so edles und erhabenes Gemüt sich gleichsam selbst bilden sollte?

Welche Beleidigung! so ist alle unsere Sittlichkeit dahin! so regt sich in uns kein Trieb mehr für die Tugend! so ist die Natur stiefmütterlich gegen uns gewesen, als sie die edelste Gabe unter den Menschen ausgeteilt, die natürliche Liebe zum Guten! Wie weit bist du, gütiger Vater, über solche Grausamkeit erhaben!

Wer Sie näher kennt, teuerster Freund! und Ihre Talente zu schätzen weiß, dem kann es gewiß an keinem Exempel fehlen, wie leicht sich glückliche Geister ohne Vorbild und Erziehung empor schwingen, ihre unschätzbaren Gaben ausarbeiten, Geist und Herz bessern und sich in den Rang der größten Männer erheben können. Ich gebe einem jeden zu bedenken, ob Sie, großmütiger Freund! nicht die Rolle des Juden im Schauspiel übernommen hätten, wenn Sie auf Ihrer gelehrten Reise in seine Umstände gesetzt worden wären. Ja ich würde unsere Nation erniedrigen, wenn ich fortfahren wollte, einzelne Exempel von edlen Gemütern anzuführen. Nur das Ihrige konnte ich nicht übergehen, weil es so sehr in die Augen leuchtet, und weil ich es allzuoft bewundere.

Überhaupt sind gewisse menschliche Tugenden den Juden gemeiner[9], als den meisten Christen. Man bedenke den gewaltigen Abscheu, den sie für eine Mordtat haben. Kein einziges Exempel wird man anführen können, daß ein Jude, (ich nehme die Diebe von Profession aus) einen Menschen ermordet haben sollte. Wie leicht wird es aber nicht manchem sonst redlichen Christen, seinem Nebenmenschen für ein bloßes Schimpfwort das Leben zu rauben? Man sagt, es sei Niederträchtigkeit[10] bei den Juden. Wohl! wenn Niederträchtigkeit Menschenblut verschont; so ist Niederträchtigkeit eine Tugend.

Wie mitleidig sind sie nicht gegen alle Menschen, wie milde gegen die Armen beider Nationen? Und wie hart verdient das Verfahren der meisten Christen gegen ihre

---

9 Bei den Juden üblicher.
10 Demut, niedere Gesinnung.

Arme genennt zu werden? Es ist wahr, sie treiben diese beiden Tugenden fast zu weit. Ihr Mitleiden ist allzu empfindlich und hindert beinah die Gerechtigkeit, und ihre Mildigkeit ist beinah Verschwendung. Allein, wenn doch alle, die ausschweifen, auf der guten Seite ausschweiften.

Ich könnte noch vieles von ihrem Fleiße, von ihrer bewundernswürdigen Mäßigkeit, von ihrer Heiligkeit in den Ehen hinzusetzen. Doch schon ihre gesellschaftliche Tugenden sind hinreichend genug, die Göttinge Anzeigen zu widerlegen; und ich bedaure den, der eine so allgemeine Verurteilung ohne Schauern lesen kann. Ich bin etc.

∗

Ich habe auch die Antwort auf diesen Brief vor mir. Allein ich mache mir ein Bedenken, sie hier drucken zu lassen. Sie ist mit zuviel Hitze geschrieben, und die Retorsionen[11] sind gegen die Christen ein wenig zu lebhaft gebraucht. Man kann es mir aber gewiß glauben, daß beide Korrespondenten, auch ohne Reichtum, Tugend und Gelehrsamkeit zu erlangen gewußt haben, und ich bin überzeugt, daß sie unter ihrem Volke mehr Nachfolger haben würden, wenn ihnen die Christen nur vergönnten, das Haupt ein weing mehr zu erheben. – –

Der übrige Teil der Göttingschen Erinnerungen, worinne man mich zu einem andern ähnlichen Lustspiele aufmuntert, ist zu schmeichelhaft für mich, als daß ich ihn ohne Eitelkeit wiederholen könnte. Es ist gewiß, daß sich nach dem daselbst angegebnen Plane ein sehr einnehmendes Stück machen ließe. Nur muß ich erinnern, daß die Juden alsdenn bloß als ein unterdrücktes Volk und nicht als Juden betrachtet werden, und die Absichten, die ich bei Verfertigung meines Stücks gehabt habe, größtenteils wegfallen würden.«

Abdruck nach: Lessings Werke. Hrsg. von Julius Petersen und Waldemar von Olshausen. T. 12. Berlin/Leipzig/Wien/Stuttgart [1925]. S. 257–263.

11 Erwiderungen.

Aus dem Brief LESSINGS an Johann David Michaelis
(Berlin, 16. Oktober 1754):

»Wenn ich von der uneingeschränkten Billigkeit Ewr. nicht
vollkommen überzeugt wäre, so würde ich mich scheuen,
Ihnen das erste Stück meiner Theatralischen Bibliothek zu übersenden. Ich bin darinn so frey gewesen,
etwas auf diejenigen Erinnerungen zu erwiedern, die Sie
über meine J u d e n zu machen die Gütigkeit gehabt haben. Ich hoffe, daß die Art, mit welcher ich es gethan, Ihnen nicht zuwider seyn wird. Nur des eingerückten Briefes
wegen bin ich einigermaßen in Sorgen. Wenn einige anstössige Ausdrücke darinn vorkommen sollten, die ich nicht
billige, die ich aber kein Recht gehabt habe zu ändern, so
bitte ich Ewr., beständig auf den Verfasser zurückzusehen.
Er ist wirklich ein Jude, ein Mensch von etlichen zwanzig
Jahren, welcher ohne alle Anweisung, in Sprachen, in der
Mathematik, in der Weltweisheit, in der Poesie, eine grosse
Stärke erlangt hat. Ich sehe ihn im voraus als eine Ehre seiner Nation an, wenn ihn anders seine eigne Glaubensgenossen zur Reiffe kommen lassen, die allezeit ein unglücklicher Verfolgungsgeist wider Leute seines gleichen getrieben
hat. Seine Redlichkeit und sein philosophischer Geist läßt
mich ihn im voraus als einen zweyten Spinoza[12] betrachten,
dem zur völligen Gleichheit mit dem ersten nichts, als seine
Irrthümer, fehlen werden.«

Abdruck nach: Gotthold Ephraim Lessings sämtliche Schriften. Hrsg. von Karl Lachmann. 3., aufs
neue durchges. und verm. Aufl., bes. durch Franz
Muncker. Bd. 17. Leipzig 1904. S. 39 f.

12 Der niederländische Philosoph Baruch de Spinoza (1632–77) entstammte einer gegen Ende des 16. Jh.s nach Holland emigrierten Familie spanisch-portugiesischer Juden. Wegen seiner Abweichungen von der jüdischen Lehre
wurde er aus der jüdischen Gemeinde ausgeschlossen.

Literaturhinweise

Gesamtdarstellungen

Altenhofer, Norbert: Gotthold Ephraim Lessing. In: Deutsche Dichter. Leben und Werk deutschsprachiger Autoren. Hrsg. von Gunter E. Grimm und Frank Rainer Max. Bd. 3: Aufklärung und Empfindsamkeit. Stuttgart 1988. S. 184–232.

Barner, Wilfried: »Laut denken mit einem Freunde«. Lessing-Studien. Hrsg. von Kai Bremer. Göttingen 2017.

– / Grimm, Gunter E. / Kiesel, Helmuth [u. a.]: Lessing: Epoche – Werk – Wirkung. 5., neu bearb. Aufl. München 1987.

Bauer, Gerhard und Sibylle (Hrsg.): Gotthold Ephraim Lessing. Darmstadt 1968.

Bohnen, Klaus: Geist und Buchstabe. Zum Prinzip des kritischen Verfahrens in Lessings literaturästhetischen und theologischen Schriften. Köln/Wien 1974.

Brenner, Peter J.: Gotthold Ephraim Lessing. Stuttgart 2000.

Coulombeau, Charlotte: Le philosophique chez Gotthold Ephraim Lessing: individu et vérité. Wiesbaden 2005.

Durzak, Manfred: Zu Gotthold Ephraim Lessing. Poesie im bürgerlichen Zeitalter. Stuttgart 1984.

Fauser, Markus (Hrsg.): Gotthold Ephraim Lessing. Neue Wege der Forschung. Darmstadt 2008.

Fick, Monika (Hrsg.): Lessing-Handbuch. Leben – Werk – Wirkung. 3., neu bearb. und erw. Aufl. Stuttgart 2016.

Forester, Vera: Lessing und Moses Mendelssohn. Geschichte einer Freundschaft. Vollst. überarb. Ausg. Darmstadt 2010.

Guthke, Karl S.: Gotthold Ephraim Lessing. Stuttgart ^{3}1979.

Gutjahr, Ortrud (Hrsg.): Lessings Erbe? Theater als diskursive Institution. Würzburg 2017. (Theater und Universität im Gespräch 16.)

Harth, Dietrich: G. E. Lessing oder die Paradoxien der Selbsterkenntnis. München 1993.

Jacobs, Jürgen: Lessing. Eine Einführung. München/Zürich 1986.

Jung, Werner: Gotthold Ephraim Lessing. Paderborn 2010.

Kröger, Wolfgang: Gotthold Ephraim Lessing. Stuttgart 1995.

Lessing-Yearbook. Vol. 1 ff. München/Detroit 1969 ff.

Mauser, Wolfram / Saße, Günter: Streitkultur. Strategien des Überzeugens im Werk Lessings. Tübingen 1993.

Michelsen, Peter: Der unruhige Bürger. Studien zu Lessing und zur Literatur des 18. Jahrhunderts. Würzburg 1990.

Milde, Wolfgang (Bearb.): Gesamtverzeichnis der Lessing-Handschriften. Hrsg. von der Herzog August Bibliothek Wolfenbüttel und der Lessing-Akademie Wolfenbüttel. 2 Bde. Hannover 2016.

Neumann, Peter Horst: Der Preis der Mündigkeit. Über Lessings Dramen. Stuttgart 1977.

Niewöhner, Friedrich: Veritas sive Varietas. Lessings Toleranzparabel und das Buch Von den drei Betrügern. Heidelberg 1988.

Nisbet, Hugh Barr: Lessing. Eine Biographie. München 2008.

– Gotthold Ephraim Lessing. His Life, Works, and Thought. Oxford 2016.

Pütz, Peter: Die Leistung der Form. Lessings Dramen. Frankfurt a. M. 1986.

Reemtsma, Jan Philipp: Lessing in Hamburg. 1766–1770. München 2007.

Reich-Ranicki, Marcel: Mein Lessing. Hamburg 2009.

Schröder, Jürgen: Gotthold Ephraim Lessing. Sprache und Drama. München 1972.

Seeba, Hinrich C.: Die Liebe zur Sache. Öffentliches und privates Interesse in Lessings Dramen. Tübingen 1973.

Stockhorst, Stefanie: Einführung in das Werk Gotthold Ephraim Lessings. Darmstadt 2011.

Strohschneider-Kohrs, Ingrid: Vom Prinzip des Maßes in Lessings Kritik. Stuttgart 1969.

– Vernunft als Weisheit. Studien zum späten Lessing. Tübingen 1991.

Ter-Nedden, Gisbert: Lessings Trauerspiele. Der Ursprung des modernen Dramas aus dem Geist der Kritik. Stuttgart 1986.

Thurn, Nike: »Falsche Juden«. Performative Identitäten in der deutschsprachigen Literatur von Lessing bis Walser. Göttingen 2015.

Vollhardt, Friedrich: Gotthold Ephraim Lessing. München 2016.

– Gotthold Ephraim Lessing. Epoche und Werk. Göttingen 2018.

Wehrli, Beatrice: Kommunikative Wahrheitsfindung. Zur Funktion der Sprache in Lessings Dramen. Tübingen 1983.

Zu Lessings *Juden*

Albertsen, Leif Ludwig: Der Jude in der deutschen Literatur 1750 bis 1850. Bemerkungen zur Entwicklung eines literarischen Motivs zwischen Lessing und Freytag. In: Arcadia 19 (1984) H. 1. S. 20–33.

Altenhofer, Norbert: Zur Erinnerung an Lessings Lustspiel »Die Juden«. Biberach a. d. Riß 1974.

Barner, Wilfried: Lessings »Die Juden« im Zusammenhang seines Frühwerks. In: Humanität und Dialog: Lessing und Mendelssohn in neuer Sicht. Beiträge zum Internationalen Lessing-Mendelssohn-Symposium […] 1979 in Los Angeles. Hrsg. von Ehrhard Bahr [u. a.]. Detroit/München 1982. S. 189–200.

– Vorurteil, Empirie, Rettung. Der junge Lessing und die Juden. In: Juden und Judentum in der Literatur. Hrsg. von Herbert A. Strauss und Christhard Hoffmann. München 1985. S. 52–77.

Götz, David: »Bis mein Kapital zu lauter Zinsen wird«. Ökonomie bei G. E. Lessing. Würzburg 2015. [Zu den »Juden« s. S. 143–160.]

Guthke, Karl S.: Lessings Problemkomödie »Die Juden«. In: Wissen aus Erfahrungen: Werkbegriff und Interpretation heute. Festschrift für Hermann Meyer zum 65. Geburtstag. Hrsg. von Alexander von Bormann. Tübingen 1976. S. 122–134.

Jenzsch, Helmut: Jüdische Figuren in deutschen Bühnentexten des 18. Jahrhunderts. Diss. Hamburg 1974.

Martens, Wolfgang: Zur Figur des edlen Juden im Aufklärungsroman vor Gotthold Ephraim Lessing. In: Der Deutschunterricht 36 (1984) H. 4. S. 48–58.

Och, Gunnar: Lessings Lustspiel »Die Juden« im 18. Jahrhundert – Rezeption und Reproduktion. In: Theatralia Judaica. Emanzipation und Antisemitismus als Momente der Theatergeschichte. Von der Lessing-Zeit bis zur Shoah. Hrsg. von Hans-Peter Bayerdörfer. Tübingen 1992. S. 42–63.

Stenzel, Jürgen: Idealisierung und Vorurteil. Zur Figur des ›edlen Juden‹ in der deutschen Literatur des 18. Jahrhunderts. In: Juden und Judentum in der deutschen Literatur. Hrsg. von Stéphane Moses und Albrecht Schöne. Frankfurt a. M. 1986. S. 114–126.

Ter-Nedden, Gisbert: Der fremde Lessing. Eine Revision des dramatischen Werks. Göttingen 2016. [Zu den »Juden« s. S. 85–113.]

Trautwein, Wolfgang: Zwischen Typenlustspiel und ernster Komödie. Zur produktiven Verletzung von Gattungsmustern in Lessings »Die Juden«. In: Jahrbuch der Deutschen Schillergesellschaft 24 (1980) S. 1–15.

Die Situation der Juden im 18. Jahrhundert

Allerhand, Jacob: Das Judentum in der Aufklärung. Stuttgart 1980.

Bein Alex: Die Judenfrage. 2 Bde. Stuttgart 1980.

Grab, Walter (Hrsg.): Deutsche Aufklärung und Judenemanzipation. Tel Aviv 1980.

Kougblenou, Komi Kouma: Studien zur Entwicklung der kulturellen Norm »Toleranz«. Frankfurt a. M. 2010.

Shammary, Zahim M. M. al-: Lessing und der Islam. Berlin/Tübingen 2011.

Surall, Frank: Juden und Christen – Toleranz in neuer Perspektive. Der Denkweg Franz Rosenzweigs in seinen Bezügen zu Lessing, Harnack, Baeck und Rosenstock-Huessy. Gütersloh 2003.

Thurn, Nike: »Falsche Juden«: Performative Identitäten in der deutschsprachigen Literatur von Lessing bis Walser. Göttingen 2015.

Nachwort

»Meine Lust zum Theater war damals so groß, daß sich alles, was mir in den Kopf kam, in eine Komödie verwandelte«, so heißt es in der »Vorrede« zum 3. und 4. Teil der 1754 von Lessing herausgegebenen *Schriften*, in denen auch *Die Juden* zum ersten Mal veröffentlicht werden sollten. Lessing spielt mit dieser Bemerkung auf seine Leipziger Studentenzeit (1746–48) an, während derer seine ersten Lustspiele entstanden. Zwar hatte er bereits in dem Meißener Internat St. Afra die antiken Schriftsteller Theophrast, Plautus und Terenz mit großem Vergnügen gelesen (sie waren »die einzigen, in welchen ich glücklich gelebt habe«), aber erst in Leipzig, einer der wichtigsten Kulturmetropolen Deutschlands zu damaliger Zeit, sollte er sich fast ausschließlich in die Lektüre der Komödien versenken.

Unterstützung bei seinen Interessen für die schönen Wissenschaften, die ihn sein Studium der Theologie, später dann der Medizin, für die er sich an der Leipziger Universität immatrikuliert hatte, vergessen ließen, fand er bei seinem Vetter Christlob Mylius und bei Christian Felix Weisse. Mylius, selbst Verfasser von Komödien und Schäferspielen und Mitherausgeber der noch von Gottsched geprägten *Halleschen Bemühungen zur Beförderung der Kritik und des guten Geschmacks*, räumte Lessing die Möglichkeit ein, in den von ihm später dann redigierten Zeitschriften *Der Naturforscher* und *Ermunterungen zum Vergnügen des Gemüts* seine ersten Fabeln und Verse in anakreontischer Manier und sein erstes Lustspiel *Damon oder die wahre Freundschaft* zu veröffentlichen.

In Weisse traf Lessing auf einen Menschen, der ihn gänzlich für die Welt des Theaters begeistern konnte. Durch die Vermittlung von Mylius lernte er schließlich die in Leipzig ansässige Theatergruppe der Friederike Caroline Neuber kennen, die sein Lustspiel *Der junge Gelehrte* mit großem

Erfolg aufführte. So, ganz eingenommen von der Welt des Theaters – auch eine Liaison zwischen Lessing und der gleichaltrigen Schauspielerin Christiane Friederike Lorenz machte von sich reden –, sah sich der Sohn aus einem orthodox-lutherischen Pfarrhaus genötigt, seinen mit einem ernsthaften Studium so gar nicht zu vergleichenden Lebenswandel im Umkreis der damals noch immer anrüchigen Theatersphäre in einem Brief an seine Mutter vom 20. Januar 1749 nachträglich (Lessing hatte zu dieser Zeit bereits das »Klein-Paris«, Leipzig, verlassen) zu rechtfertigen:

»Ich komme jung von Schulen, in der gewissen Überzeugung, daß mein ganzes Glück in den Büchern bestehe. Ich komme nach Leipzig, an einen Ort, wo man die ganze Welt im kleinen sehen kan. Ich lebte die ersten Monate so eingezogen, als ich in Meißen nicht gelebt hatte. Stets bey den Büchern, nur mit mir selbst beschäftigt, dachte ich eben so selten an die übrigen Menschen, als vielleicht an Gott. [...] Doch es dauerte nicht lange, so gingen mir die Augen auf: Soll ich sagen, zu meinem Glücke, oder zu meinem Unglücke? Die künftige Zeit wird es entscheiden. Ich lernte einsehen, die Bücher würden mich wohl gelehrt, aber nimmermehr zu einem Menschen machen. Ich wagte mich von meiner Stube unter meinesgleichen. [...] Ich lernte tanzen, fechten, voltigiren. Ich will in diesem Briefe meine Fehler aufrichtig bekennen, ich kan auch also das Gute von mir sagen. [...] Ich legte die ernsthaften Bücher eine zeitlang auf die Seite, um mich in denjenigen umzusehn, die weit angenehmer und vielleicht eben so nützlich sind. Die Comoedien kamen mir zur erst in die Hand. Es mag unglaublich vorkommen, wem es will, mir haben sie sehr große Dienste gethan. Ich lernte daraus eine artige und gezwungne, eine große und natürliche Aufführung unterscheiden. Ich lernte wahre und falsche Tugenden daraus kennen, und die Laster eben so sehr wegen ihres lächerlichen als wegen ihrer Schändlichkeit fliehen. Habe ich aber alles dieses nur in eine schwache Ausübung gebracht, so hat es gewiß mehr an andern Umständen als an meinem Willen gefehlt. Doch bald hätte ich den vornehmsten Nutzen, den die Lustspiele bey mir gehabt haben, vergeßen. Ich lernte mich selbst kennen, und seit der Zeit habe ich gewiß über niemand mehr gelacht und gespottet als über mich selbst. Doch ich weiß nicht was mich damals vor eine Thorheit überfiel, daß ich auf den Entschluß kam, selbst Comoedien zu machen: Ich wagte es, und als sie aufgeführt wurden, wollte man mich versichern, daß ich nicht unglücklich darinne wäre.«[1]

Selbstanklage und Selbstrechtfertigung sind in diesem Schreiben unüberhörbar. Wenn Lessing auch nicht genau zu benennen vermag, was ihn dazu trieb, dass sich ihm ›alles, was ihm in den Kopf kam, in eine Komödie verwandelte‹, so verhilft hier doch eine weitere Bemerkung aus dem Vorwort zu seinen *Schriften*, eben diese Ursache zu benennen:

»Ich muß es, der Gefahr belacht zu werden unbeachtet, gestehen, daß unter allen Werken des Witzes die Komödie dasjenige ist, an welches ich mich am ersten gewagt habe.«

›Witzig‹ zu sein, seinen ›Esprit‹ zu beweisen, und damit zu zeigen, dass auch die Deutschen dieser Gabe mächtig waren, die ihnen die Franzosen Bouhours und Mauvillon so kategorisch abgesprochen hatten, hieß in der damaligen, in Leipzig vorherrschenden Kultur jenem Ideal – sei es in der Konversation oder sei es in der Schriftstellerei und Poesie –

1 *Gotthold Ephraim Lessings sämtliche Schriften*, hrsg. von Karl Lachmann, 3., aufs neue durchges. und verm. Aufl., bes. durch Franz Muncker, Bd. 17, Leipzig 1904, S. 7 f.

nahe zu kommen, das an die Stelle der Politesse oder des Galanten getreten war. Die dem Formprinzip des Witzes gehorchende Struktur der Aufklärungskomödie sollte sich für Lessing als die geeignetste Form zur Talentprobe seines Witzes erweisen.

Die ersten Komödien Lessings sind Präludien, der Versuch, ein »deutscher Molière« zu werden, wie er in einem Brief im April 1749 an seinen Vater schreibt. Er adaptierte für seine Jugendlustspiele, was sich ihm an ausländischen Mustern bot (Holberg, Destouches, Marivaux, Farquhar, Grandini, Molière, Steele, Vanbrugh). Gilt einerseits, dass sich alles, was ihm in den Kopf kam, in die Komödie verwandelte, so gilt andererseits auch, dass er sich die vorliegenden Komödienformen anverwandelte, jedoch nicht etwa in der Weise, dass er mit einem vorgesteckten Ziel eine bestimmte Form der Komödie schon ganz zu Anfang im Sinne gehabt hätte. Vielmehr dürfen Lessings Jugendlustspiele (*Damon oder die wahre Freundschaft*, 1747; *Der junge Gelehrte*, 1748; *Die alte Jungfer*, 1749; *Der Misogyn*, 1748) als erste, tastende Versuche verstanden werden, in denen er mit den verschiedensten Komödienstilen experimentiert, sie rein zu verwirklichen sucht oder sie nach eigenem Gutdünken vermischt.

Bereits mit seinem ersten Lustspiel, *Damon oder die wahre Freundschaft*, knüpft Lessing an den Erfolg Gellerts an, den dieser gerade mit seinen in der Tradition der Comédie larmoyante stehenden rührenden Lustspielen *Die Betschwester* (1745), *Das Loos in der Lotterie* (1746) und *Die zärtlichen Schwestern* (1747) erzielt hatte. Der noch emblematisch klingende Titel verweist auf die empfindsamen Töne des Lessing'schen Lustspiels, auf die Demonstration einer »großen und zugleich gesellschaftlichen Tugend«[2], zu deren Hervorkehrung die Intrigenhandlung

2 Christian Fürchtegott Gellert, »Abhandlung für das rührende Lustspiel. Übersetzt von Gotthold E. Lessing«, wiederabgedr. in: C. F. G., *Die zärtlichen Schwestern*, Stuttgart 1965, S. 133.

dient: Damon verzeiht seinem Freunde Leander die gegen ihn gerichteten Betrügereien und gibt so dem Zuschauer »bei dem Anblicke des bloßen Bildes der Tugend [...] in dem Gemüte eine süße Empfindung des Stolzes und der Selbstliebe«[3], ganz wie es Gellert in seiner 1751 erschienenen Antrittsvorlesung *Pro comoedia commovente* gefordert hatte. Eine andere, um die Mitte des 18. Jahrhunderts durchaus noch lebendige Tradition greift Lessing mit seiner *Alten Jungfer* auf.

Gottsched hatte zwar durch seine Theaterreform die Einflüsse der italienischen Commedia dell'arte bzw. der Comédie française weitgehend zurückzudrängen versucht, er hatte auch in seiner *Critischen Dichtkunst vor die Deutschen* zum Postulat erhoben, dass in der Komödie »das Lächerliche [...] in den Sachen und [nicht] in den Worten und Gebärden«[4] zu suchen sei, aber Lessing schert sich in seiner *Alten Jungfer* nur wenig darum. Als habe er sich den Ausspruch der in diesem Lustspiel auftretenden Figur Clitander: »Doch mit der Moral beiseite«, selber zu Eigen gemacht, konzentriert er die sich um eine reiche, aber alte Jungfer, in die der Eheteufel lebendig hineingefahren ist, entspinnende Handlung auf die rein komischen, teilweise gar derb komischen und burlesken Momente. So verblüfft es nicht weiter, dass in diesem Rahmen unbekümmerter Sittenlosigkeit unter der Gestalt des ›Gebackensherumträgers‹ Peter der von Gottsched von der Bühne verwiesene Harlekin in neuem Gewande wieder auftritt.

Wollte man in Lessings *Damon* oder der *Alten Jungfer* eine Abkehr Lessings von Gottsched sehen, der weder die Comédie larmoyante noch das sich seinen strengen Regeln so ganz und gar widersetzende, abgeschmackte »Theatre Italien und Theatre de la Foire«[5] gelten ließ, so würde man

---

3 Ebd.
4 Johann Chr. Gottsched, *Versuch einer Critischen Dichtkunst vor die Deutschen*, Leipzig ⁴1751 (Nachdr. Darmstadt ⁵1962), S. 653.
5 Ebd., S. 654.

verkennen, dass sich Lessing in seinen Jugendlustspielen eher die Schreibweise verschiedener Lustspieltypen aneignen als sich poetologisch auf eine bestimmte Richtung festlegen wollte. Mit zwei anderen Komödien stellt sich Lessing somit auch in die deutliche Gottsched-Nachfolge. Sowohl das 1748 entstandene Lustspiel *Der junge Gelehrte* als auch das noch im gleichen Jahr entstandene Stück *Der Misogyn* sind zwei Komödien, die ganz nach der Gottsched'schen Komödiendefinition (»Die Komödie ist nichts anders, als eine Nachahmung einer lasterhaften Handlung, die durch ihr lächerliches Wesen den Zuschauer belustigen, aber auch zugleich erbauen kann«)[6], eingerichtet worden sind. In beiden Fällen stellt Lessing, wie es für die sächsische Typenkomödie charakteristisch ist, einen Helden in den Mittelpunkt des Geschehens, der nicht Träger eines »groben Lasters«[7], sondern einer »allgemeinen« »Thorheit«[8] ist, die mittels vernünftiger Einsicht korrigiert werden kann, sodass sowohl der durch seine drei unglücklich verlaufenden Ehen zum Weiberfeind gewordene Wumshäter wie der in seine Gelehrtheit versponnene Damis in die sie umgebende Gesellschaft zurückgeführt werden könnten, wenn sie sich ihres Lasters entledigen würden.

Die im *Jungen Gelehrten* von Lisette angezettelte Intrige und das von Hilaria inszenierte Verkleidungsspiel im *Misogyn* dienen folglich der Verbesserung des »lächerlichen Fehlers«[9] des Helden, um ihm den Weg zurück in die Gesellschaft zu bahnen. Was so der »sinnreiche Einfall« einer Hilaria innerhalb des Dramas leistet, versucht die Komödie als literarische Form zu leisten, indem sie das im Zuschauer erzeugte Verlachen der Torheit als soziales Regulativ nützlich zu machen versucht, was den durchschlagenden Erfolg

6 Ebd., S. 643.
7 Ebd., S. 645.
8 Ebd., S. 640.
9 Ebd., S. 645.

der Komödie innerhalb der Phase der Konstitution bzw. der Konsolidierung der bürgerlichen Gesellschaft im 18. Jahrhundert erklären mag.

Lebten insoweit die Jugendlustspiele Lessings, wie Paul Böckmann treffend feststellt,

> »von der witzigen Scharfsinnigkeit und deren intimen Wirkungen, zeugen sie von der Helligkeit einer intellektuellen Einbildungskraft [und ist] in ihnen noch ganz die witzige Form erhalten, ja, sind sie geradezu Beispiele für die witzigen Möglichkeiten des dramatischen Spiels«,[10]

so kehrt sich Lessing doch schon mit seinen beiden im Jahre 1749 verfassten Stücken *Der Freigeist* und *Die Juden* von diesem Formprinzip ab. In beiden Stücken herrscht nicht mehr der stark literarisierte, Gestus und Mimus zurückdrängende, witzige Dialog vor, jenes Band, das allen Jugendlustspielen, gleich in welche Tradition sie sich einschrieben, doch den gemeinsamen Ton verlieh. Die Identität von witziger Rede und Gesinnung wird vielmehr auf die Probe gestellt, das Herz als neuer, zumindest gleichberechtigter Garant der Wahrhaftigkeit tritt an die Seite des Witzes.

Mit der Problematisierung des Witzes verbindet Lessing gleichzeitig eine dramenstrukturelle Veränderung. Die Verlachkomödie der Aufklärung lebte weithin aus dem stillschweigenden Konsens zwischen dem Zuschauer und den vernünftigen Figuren auf der Bühne, die den Unvernünftigen verlachten und ihn zu bessern suchten. Sowohl im *Freigeist* wie in den *Juden* ist jedoch dieser Konsens mehr oder weniger fraglich geworden. Zwar knüpft Lessing jeweils an die traditionelle Form der Verlachkomödie an, aber bezeichnend ist, dass beiden Dramen jener Tor fehlt, auf den

---

10 Paul Böckmann, *Formgeschichte der deutschen Dichtung*, Bd. 1, Darmstadt ⁴1973, S. 539.

sich das Publikum sonst einschwören konnte. So ist Lessings *Freigeist*

> »ein Anti-Tartuffe. Von der Darstellung des verkehrten, unechten Religionsvertreters wendet sich die Komödie [...] zur Darstellung des fälschlich verdächtigten und verkannten; an die Stelle der Entlarvungs- tritt die Rechtfertigungsabsicht, an die Stelle der Unwert- die Wert-Enthüllung. Die Vernunft-Gesinnung mündet in die humanitäre Toleranzidee.«[11]

Sicherlich ließ der Titel *Der Freigeist* das Publikum des 18. Jahrhunderts eine Satire auf die zeittypische Erscheinung des Freigeistes erwarten, dem wie seinem französischen Vorläufer, dem Libertin, das Odium anhing, ein bösartiger, Gott leugnender und somit gänzlich der Sittenlosigkeit verfallener Schurke zu sein. Nichts davon jedoch mehr in Lessings Komödie. Achtet man nicht auf die karikierte Darstellung des Freigeistes in dem Proselyten Johann, ist Adrast ein Freidenker, von dem bereits das Personenregister – zumindest in Lessings Entwurf – die ungewöhnliche Angabe macht: »Adrast ohne Religion aber voller tugendhafter Gesinnungen«. Adrasts Fehler ist weniger die Freigeisterei als vielmehr seine Unfähigkeit, seine Vormeinung anhand der Erfahrung zu kontrollieren und nötigenfalls zu revidieren. Durch den festen Vorsatz Theophans, Adrast »nicht mit gleicher Münze zu bezahlen, sondern ihm vielmehr seine Freundschaft abzuzwingen, es mag kosten, was es will«, erreicht der von Adrast zunächst verkannte Theologe Theophan die Anerkennung durch Adrast, wie umgekehrt der Freigeist Adrast in seiner Andersartigkeit die Tolerierung durch Theophan erlangt. Anders als der Titel erwarten ließ, steht somit im Zentrum der Komödie nicht der

---

11 Walter Hinck, *Das deutsche Lustspiel des 17. und 18. Jahrhunderts und die italienische Komödie*, Stuttgart 1965, S. 279.

Freigeist selbst, sondern Theophan und Adrast, sie beide sind die sich in ihrem Wert gegenseitig offenbarenden Hauptgestalten.

Die im *Freigeist* avisierte Destruktion eines weitgehend auch vom Publikum akzeptierten Vorurteils findet sich auch in den *Juden* wieder. Was Lessing zur Konzeption dieser Komödie bewog, legt er in der Vorrede zum 3. und 4. Teil seiner *Schriften* dar:

>»Es war das Resultat einer sehr ernsthaften Betrachtung über die schimpfliche Unterdrückung, in welcher ein Volk seufzen muß, das ein Christ, sollte ich meinen, nicht ohne eine Art von Ehrerbietung betrachten kann. Aus ihm, dachte ich, sind ehedem so viel Helden und Propheten aufgestanden, und jetzo zweifelt man, ob ein ehrlicher Mann unter ihm anzutreffen sei? [...] Ich bekam also gar bald den Einfall, zu versuchen, was es für eine Wirkung auf der Bühne haben werde, wenn man dem Volke die Tugend da zeigte, wo es sie ganz und gar nicht vermutet.«

Und am Ende seiner Anmerkung *Über die Juden* betont Lessing mit aller Entschiedenheit, dass ihm bei der Konzeption des Stückes weniger daran gelegen war, die Juden als Beispiel für irgendein unterdrücktes Volk in seinem Lustspiel genutzt zu haben, als vielmehr, ganz lebensnah die Juden in ihrer gegenwärtigen, konkreten Situation auf die Bühne zu bringen.

Genau darin sollte dann auch das Provokative des Stückes bestehen, von denen die zeitgenössischen Rezensionen Zeugnis ablegen; genau in dem aktuellen, zeitgenössischen Bezug sollte die Konsternierung des Publikums ihre Ursache haben, denn das Publikum vermutete eine solche Behandlung des Judenthemas auf der Bühne ›ganz und gar nicht‹. Wieder ist es die von Lessing so bewusst einkalkulierte Titelgebung, die durch ihren Anklang an

ähnliche Titel der frühaufklärerischen Verlachkomödie
(wie *Die Candidaten*, *Die Ärzte*, *Die Advokaten*, *Die
Geistlichen auf dem Lande* usw.) den Zuschauer eine
Ständesatire erwarten ließ, kannte er doch den Juden auf
der Bühne nur als den Schurken, den Schachergeist oder
die Krämerseele. Allein in Gellerts Roman *Leben der
schwedischen Gräfin von G **** war das Porträt eines edlen Juden gezeichnet, und es ist kein Zufall, dass die Rezensenten gerade auf den Gellert'schen Juden in ihren Rezensionen der Lessing'schen Komödie verwiesen. Gellert
hatte in einem polnischen Juden einen »rechtschaffenen
Mann«[12] gezeichnet, der dem Grafen von G *** »auf die
edelste Art dankbar« gewesen ist, denn dieser hatte ihm
»das Leben erhalten [und] ihn aus dem Schnee, in den er
mit dem Pferde gefallen und fast schon erfroren war, mit
der größten Gefahr errettet«. Der Graf erhofft sich in
dem Juden den »Befreier aus der Gefangenschaft« und
sieht in ihm, den er nun als seinen »Freund und großen
Wohltäter« bezeichnet, den Beweis dafür, dass »es auch
unter dem Volke [der Juden] gute Herzen gibt, das sie am
wenigsten zu haben scheint«.[13] Und an späterer Stelle
heißt es nochmals:

> »Vielleicht würden viele von diesem Volk [der Juden]
> beßre Herzen haben, wenn wir sie nicht durch Verach-
> tung und listige Gewalttätigkeiten niederträchtig und be-
> trügerisch in ihren Handlungen machten und sie nicht
> oft durch unsere Aufführung nötigten, unsere Religion
> zu hassen.«[14]

Gellert entschärfte das Provokante an der Zeichnung seines
so ehrbaren Juden jedoch insofern, als er ihn ins ferne, sibi-

---

12 Christian F. Gellert, *Leben der schwedischen Gräfin von G ****, Stuttgart
   1968, S. 114.
13 Ebd., S. 79.
14 Ebd., S. 114 f.

rische Russland entrückte; Lessing aber versetzte seinen Juden mitten unter die Deutschen.

Da Lessing bei der Konzeption seines Lustspiels vor allem die Juden in Preußen und Sachsen vor Augen gehabt haben dürfte, sei im Folgenden deren Lage kurz skizziert: Obwohl man in Sachsen den Ehrgeiz darein setzte, judenrein zu sein und zu bleiben, und den ständigen Aufenthalt den Juden sowohl in Dresden wie in Leipzig aufs entschiedenste verwehrte, konnte man doch auf Dauer nicht vermeiden, dass auserwählte, finanzkräftige Juden sich auch in dieser Region fest niederließen. Das benachbarte Holland vor Augen, erkannte andererseits der Große Kurfürst in Preußen sehr früh, wie förderlich die Juden für das Wirtschaftsleben seien, und gewährte ihnen durch ein ›Generalgeleit‹ das Aufenthaltsrecht und die Handelsfreiheit in seinem Territorium, zumal er sich durch die den Juden abgeforderten allgemeinen staatlichen Abgaben und Sonderabgaben eine Aufbesserung des staatlichen Fiskus versprach. Während der Nachfolger des Kurfürsten, Friedrich I., zwar den Juden bei jeder Gelegenheit hohe Geldbeträge abpresste, aber ansonsten die Prinzipien seines Vorgängers in den Fragen der Judenbehandlung verfolgte, stellte sich mit der Thronbesteigung Friedrich Wilhelms I. eine merkliche Verschlimmerung in den Beziehungen der obersten Regierungsgewalt zu den Juden ein. Unter dem Deckmantel einer Bestätigung der den Juden 1671 gegebenen Privilegien nahm er eine drastische Schmälerung der schon gewährten Rechte vor. Die auf eine Kontingentierung der jüdischen Bevölkerung Berlins abhebende Verordnung von 1714 sah unter anderem vor, dass

»künftighin nur solchen jüdischen Familien Aufnahme zu gewähren sei, deren Haupt ein von den Ältesten ausgestelltes ›Attest‹ über tadellose Führung sowie Beweise für den Besitz eines mindestens zehntausend Taler betragenden Vermögens vorlegen würde. Ferner bestimmte der Erlaß, daß von den Sprößlingen der bevorrechteten Familien nur einer der Söhne oder eine der Töchter gegen Entrichtung eines entsprechenden alljährlich zu leistenden ›Schutzgeldes‹ unbehindert eine Ehe eingehen dürften. [...] Alle sich in Berlin gesetzwidrig Aufhaltenden sollten zwecks Ausweisung unverzüglich namhaft gemacht werden.«[15]

Auf das Betreiben christlicher Kaufleute, die ihre Konkurrenzfähigkeit auf dem Markt bedroht sahen, erging im Jahre 1730 zusätzlich ein königliches Reglement, das nun auch den Handel der Juden in erheblichem Maße einschränkte. So wurden die Juden, die nicht im Besitze eines zum Handel in offenen Läden ermächtigenden Privilegs waren, auf den Handel mit Trödelkram und sonstigen Kleinigkeiten beschränkt. Die Ausübung des bürgerlichen, zumeist zunftgebundenen Handwerks wurde ihnen untersagt, feste Vorschriften über den Zinssatz bei Darlehen erlassen.

Der Prozess der weitgehenden rechtlichen Beschränkung der Juden einerseits und der finanziellen Ausbeutung durch alle erdenklichen Sonderabgaben andererseits (Schutz- und Rekrutengelder, Silberbelieferung des Münzhofes mit einem bestimmten Quantum an Silber, Stempelgebühren, Porzellansteuer usw.) fand seinen Kulminationspunkt in dem im Jahr nach Entstehung der Lessing'schen Komödie von Friedrich II. unterzeichneten *Revidierten General-Privilegium und Reglement vor die Judenschaft*. Abgesehen von einer kleinen Gruppe jüdischer Plutokraten und Hoffaktoren, die durch die Pachtung des Münzregals, durch Kriegslieferungen, Vermittlung von Staatsanleihen und Börsenoperationen es zu einem großen Vermögen gebracht hatten und die folglich unter der königlichen Protektion

15 Simon Dubnow, *Die Geschichte des jüdischen Volkes in der Neuzeit. Die zweite Hälfte des XVII. und das XVIII. Jahrhundert*, Berlin 1928, S. 302.

standen, litten alle anderen Juden unter der Beschneidung ihrer bürgerlichen Rechte. Ihnen war der Zutritt zu Staatsämtern und zu öffentlichen Lehrämtern verwehrt; Mischehen waren verboten, der Erwerb von Grund und Boden war an Sonderregelungen gebunden. Somit erwies sich noch in der Mitte des 18. Jahrhunderts die Integration der Juden im Bereich bürgerlicher Öffentlichkeit in Preußen und gleichermaßen auch in den anderen deutschen Ländern, in denen überall die Juden gleichen Repressalien unterworfen waren, als fast unmöglich, und den Juden selbst wurde es darüber hinaus schwer gemacht, sich als eine homogene Gruppe zu begreifen, da sie durch Erlasse in ›ordentliche‹ (mit erblichem Wohnrecht) und ›außerordentliche‹ Schutzjuden (unübertragbares Wohnrecht und Eheverbot) eingeteilt wurden.

Wenn das Judentum trotz aller äußeren und inneren Schwierigkeiten nach einer Möglichkeit einer bürgerlichen Verbesserung seines Zustandes und einer Aufhebung der ihm auferlegten Ghetto-Situation suchte, konnte es nur durch die Form kultureller Verständigung als einer Vorstufe seiner bürgerlichen Emanzipation die Integration in die es umgebende Gesellschaft erreichen. Nur wenn es sein Kapital einbrachte und seine Stimme in die öffentliche Diskussion mischte, hatte es die Chance, das Ghetto zu verlassen. Gleichzeitig musste aber auch das allgemein herrschende Vorurteil über die Juden fallen. Wie ein solches Vorurteil entstand und worauf es sich stützte, schildert Goethe beispielhaft im Rückblick im 4. Buch von *Aus meinem Leben. Dichtung und Wahrheit*:

»Zu den ahnungsvollen Dingen, die den Knaben und auch wohl den Jüngling bedrängten, gehörte besonders der Zustand der Judenstadt, eigentlich die Judengasse genannt, weil sie kaum aus etwas mehr als einer einzigen Straße besteht, welche in frühen Zeiten zwischen Stadtmauer und Graben wie in einen Zwinger mochte einge-

klemmt worden sein. Die Enge, der Schmutz, das Ge-
wimmel, der Akzent einer unerfreulichen Sprache, alles
zusammen machte den unangenehmsten Eindruck, wenn
man auch nur am Tore vorbeigehend hineinsah. Es dauerte lange, bis ich allein mich hineinwagte, und ich kehrte
nicht leicht wieder dahin zurück, wenn ich einmal den
Zudringlichkeiten so vieler, etwas zu schachern unermü-
det fordernder oder anbietender Menschen entgangen
war. Dabei schwebten die alten Märchen von Grausamkeit der Juden gegen die Christenkinder [...] düster vor
dem jungen Gemüt.«

Nur wenige trieb die Neugierde wie Goethe zu Bekannt-
schaften mit den Juden, sodass sie ihr Urteil schließlich revidieren konnten und wie Goethe zu der Ansicht kamen:
»Außerdem waren sie ja auch Menschen, tätig, gefällig, und
selbst dem Eigensinn, womit sie an ihren Gebräuchen hin-
gen, konnte man seine Achtung nicht versagen.«[16]
   Als habe Lessing erahnt, auf welchem Wege eine soziale
und rechtliche Verbesserung der Stellung der deutschen
Juden zu erreichen sei, zeichnete er in dem Reisenden –
wie später in dem reichen und weisen Nathan – einen Juden, dem, wie er sagt, »der Gott meiner Väter mehr [an
Reichtum] gegeben hat, als ich brauche«, und der überdies
sich zu den Gebildeten rechnen konnte. Er wies gleichzeitig mit seinem Lustspiel auf die Art der Vorurteile gegenüber den Juden hin, erwies deren Fragwürdigkeit und ver-
suchte, mit seiner Komödie deren verheerende Wirkung
zu schwächen. Anhand mehrerer, in dem Lustspiel auftre-
tender Figuren und deren unterschiedlichen Reaktionen
auf die Enthüllung des Reisenden: »Ich bin ein Jude«,
stellte Lessing in Abschattungen das gegenüber den Juden
bestehende Vorurteil dar. Durch Christoph, den der Rei-

---

16 *Goethes Werke. Hamburger Ausgabe*, Bd. 9, hrsg. von Erich Trunz, Hamburg ⁶1967, S. 149 f.

sende »in Hamburg« aus »erbärmlichen Umständen« riss,
als er ihn zu seinem Diener machte, spricht, wie der Reisende bemerkt, der »christliche Pöbel«, wenn er auf die
Enthüllung seines Dienstherren hin mit höchstem Erstaunen reagiert:

> »Was? Sie sind ein Jude, und haben das Herz gehabt, ei-
> nen ehrlichen Christen in Ihre Dienste zu nehmen? Sie
> hätten mir dienen sollen. So wär es nach der Bibel recht
> gewesen. Potz Stern! Sie haben in mir die ganze Chri-
> stenheit beleidigt –«

Als ihm jedoch sein Herr großmütig für die ihm erbrachten
Dienste die silberne Dose überlässt, besinnt sich Christoph:

> »Nein, der Henker! es gibt doch wohl auch Juden, die
> keine Juden sind. Sie sind ein braver Mann. Topp, ich
> bleibe bei Ihnen! Ein Christ hätte mir einen Fuß in die
> Rippen gegeben, und keine Dose!«

Er bleibt bei seinem Vorurteil gegenüber den Juden, lässt
jedoch Ausnahmen gelten und teilt nicht mehr den Hoch-
mut der Christen. Nochmals sprechen ganz unverhohlen
die Sprache und die Denkweise des Pöbels durch Martin
Krumm. Ihm sind die Juden

> »gottlose[s] Gesindel [...]. So viel als ihrer sind, keinen
> ausgenommen, sind Betrieger, Diebe und Straßenräuber.
> Darum ist es auch ein Volk, das der liebe Gott verflucht
> hat. Ich dürfte nicht König sein: ich ließ' keinen, keinen
> Einzigen am Leben. Ach! Gott behüte alle rechtschaffne
> Christen vor diesen Leuten! Wenn sie der liebe Gott
> nicht selber hasste, weswegen wären denn nur vor kur-
> zem, bei dem Unglücke in Breslau, ihrer bald noch ein-
> mal so viel als Christen geblieben? Unser Herr Pfarr er-
> innerte das sehr weislich in der letzten Predigt. [...] Ach!

> mein lieber Herr, wenn Sie wollen Glück und Segen in
> der Welt haben, so hüten Sie sich vor den Juden, ärger,
> als vor der Pest.«

Aus Krumms Worten spricht die Unreflektiertheit des Vorurteils gegenüber den Juden, das sich nicht mehr der Erfahrung aussetzt, sondern sich durch die Stimme der christlichen Kirche sogar noch gerechtfertigt sieht und sich nicht
scheut, die Vernichtung eines ganzen Volkes zu fordern.
Krumms Drohung, wenn er König wäre, würde er keinen
einzigen Juden mehr am Leben lassen, klingt bereits nach
dem stereotypen, kategorischen Ausruf des Patriarchen in
Lessings *Nathan*: »Der Jude wird verbrannt.« An der
Handlungsweise Krumms zeigt sich jedoch, welch kata-
strophale Folgen die Herrschaft des Vorurteils haben kann,
denn Krumm kann bei seinem Verbrechen gegen den Baron
bereits das Vorurteil gegenüber den Juden einkalkulieren
und somit den Verdacht von sich und seinesgleichen ab-
schieben.

Wenn der Reisende hofft, dass sich das Vorurteil gegenüber den Juden auf das niedere Volk, »nur die Sprache des
Pöbels«, beschränken möge, lernt er in dem Baron einen
Vertreter des Adels kennen, der mit dem Pöbel in gleicher
Weise das Urteil über die Juden teilt. Sein Vorurteil über
die Juden ist dermaßen tief eingeprägt, dass er nicht einmal
daran zweifelt, dass es Juden gewesen sind, die ihn überfallen haben:

> »Und warum sollte ich auch daran zweifeln? Ein Volk,
> das auf den Gewinst so erpicht ist, fragt wenig darnach,
> ob es ihn mit Recht oder Unrecht, mit List oder Gewalt-
> samkeit erhält – – Es scheinet auch zur Handelschaft,
> oder deutsch zu reden, zur Betrügerei gemacht zu sein.
> Höflich, frei, unternehmend, verschwiegen, sind Eigen-
> schaften die es schätzbar machen würden, wenn es sie
> nicht allzu sehr zu unserm Unglück anwendete.«

Worauf sein Urteil über das Volk der Juden gründet, ist ein einmaliger Fall, wo ihm ein Jude »nicht wenig Schaden und Verdruß gemacht« hat. Aus dieser einmaligen Begegnung leitet er sein Urteil über das ganze Volk der Juden ab: »O! es sind die allerboshaftesten, niederträchtigsten Leute.« Sowohl dieses illegitime Schlussverfahren, aus einem einzelnen Fall gleich ein allgemeines Urteil abzuleiten, verleiht dem Baron einen komischen Zug, als auch sein selbstsicheres Urteil, aus der Physiognomie der Juden gleich auf deren Charakter schließen zu können:

> »Und ist es nicht wahr, ihre Gesichtsbildung hat gleich etwas, das uns wider sie einnimmt? Das Tückische, das Ungewissenhafte, das Eigennützige, Betrug und Meineid, sollte man sehr deutlich aus ihren Augen zu lesen glauben –«

Das sagt der Baron im Angesicht des ihm gegenüberstehenden Juden, in dessen Miene er nur Aufrichtigkeit, Großmut und Gefälligkeit zu finden glaubt. Der Verweis des Reisenden: »ich bin kein Freund allgemeiner Urteile über ganze Völker«, bleibt zunächst beim Baron ungehört, erst nach der Enthüllung des Reisenden, er sei Jude, bereut der Baron ausdrücklich sein Schlussverfahren (»Ich schäme mich meines Verfahrens«) und gesteht somit sein Fehlverhalten ein.

Einzig die Tochter des Barons scheint von der alle Gestalten charakterisierenden antisemitischen Einstellung noch unbeeinflusst zu sein. Ihre kindliche Naivität, die noch nicht der anerzogenen Konvention hat weichen müssen, erlaubt es ihr, auf die Offenbarung des Reisenden hin die ganz naive und dadurch schlagartig die verkehrte Situation erhellende Frage zu stellen: »Ei, was tut das?« Die Andeutung ihrer Vertrauten Lisette (»St! Fräulein, st! ich will es Ihnen hernach sagen, was das tut«) kündigt jedoch bereits an, dass man auch der jungen Baronin jene »liebenswürdigste Unschuld« ihres von Herzen her geprägten Ur-

teils und ihren »ungekünsteltsten Witz« nehmen und sie
lehren wird, nach traditionellem Schema den bösen Juden
von dem guten Christen zu scheiden, statt ohne Rücksicht-
nahme auf die gesellschaftliche Herkunft eines Menschen
ihn als Menschen nach dem Maßstab verwirklichter Großmut, seiner »guten Seele«, zu beurteilen.

Die Bitte, die der Reisende zum Ende des Dramas an den
Baron richtet, ist gleichzeitig ein an den Zuschauer gerich-
teter Appell: »Zu aller Vergeltung bitte ich nichts, als daß
Sie künftig von meinem Volke etwas gelinder und weniger
allgemein urteilen.« So wie sich der Baron innerhalb des
Lustspiels in seinem Vorurteil korrigiert sehen muss, muss
sich auch der Zuschauer in seinem Erwartungshorizont gegenüber dem Stück selbst widerlegt sehen.

Der Lernprozess des Barons ist der Lernprozess des Zu-
schauers, denn Lessing ließ, wie oben bereits angedeutet,
durch die Titelgebung des Stückes den zeitgenössischen Zuschauer eine Verlachkomödie auf die Juden erwarten. Selbst
die Anlage des Stückes entsprach zunächst noch ganz dieser
Zuschauererwartung, denn wichtige Formelemente der
sächsischen Typenkomödie sind bewahrt: so die strikte
Einheit von Raum und Zeit wie die Einheit der Handlung.
In der Wahl der Figuren und deren Konstellation (Fehlen
der Mutter; Herren und Diener) werden wichtige Momente
der traditionellen Komödienform zitiert. Die geschwätzige,
witzige Lisette wie der grobe, vorlaute, zuweilen rüpelhafte
Christoph sind Gestalten, die ihre allseits bekannten Vor-
gänger hatten. Selbst die für das Lustspiel des 18. Jahrhunderts fast obligatorische Intrigenhandlung findet sich in
Lessings *Juden* wieder in dem Versuch, hinter das Geheim-
nis des unerkannt Reisenden zu kommen.

Glaubt der Zuschauer allerdings, in dem ›Titelhelden‹
nach gewohnter Art den Toren des Dramas zu erkennen,
muss er sich enttäuscht sehen. Nicht mehr die Mittel-
punktsfigur des Geschehens ist der Tor, vielmehr tragen die
diese Figur umgebenden Personen alle Züge von Toren. Sie

sind die Düpierten, und nicht zuletzt muss sich auch der Zuschauer als ein solcher Tor begreifen, teilte er das Vorurteil gegen die Juden. Der alte Konsens zwischen Zuschauer und den Vernünftigen auf der Bühne ist zerbrochen, denn der Dichter »beschämt zusammen mit dem Helden seines Stückes die Gesellschaft auf und vor der Bühne«[17]. Die Übereinstimmung zwischen Dramenautor und Zuschauer ist dem Appell des gegen das Publikum gerichteten Schriftstellers gewichen.

Auch noch in einer anderen Hinsicht muss sich der Zuschauer des Lustspiels *Die Juden* in seinen Erwartungen getäuscht sehen, denn das Happy End in Form der Hochzeit gehörte zur Tradition des Lustspiels im 18. Jahrhundert. Nur ganz am Ende des Dramas, in der sich abzeichnenden Liaison zwischen Christoph und Lisette, zitiert Lessing nochmals den üblichen Komödienschluss, von dem sich umso deutlicher die nicht zustande kommende Verbindung zwischen dem Reisenden und der Tochter des Barons unterscheidet. »So gibt es denn Fälle, wo uns der Himmel selbst verhindert, dankbar zu sein?«, so hatte der Baron die verhinderte Verbindung kommentiert und damit auf das gesetzliche Verbot hingedeutet, das Heirat zwischen Juden und Christen untersagte. Lessing setzt sich nicht über die von der Realität gesetzten Grenzen hinweg, sondern weist vielmehr durch seinen realistischen, unharmonischen Schluss auf die Dringlichkeit der Veränderung der Gesetze hin.

Damit leistet Lessing in seiner Komödie mehreres zugleich: Er zeigt in der Gestalt des Juden, welchen Weg die Juden zur Emanzipation einschlagen müssen, er appelliert an die Gesellschaft, die Gesetze zugunsten der Integration der Juden zu verändern, er destruiert das Vorurteil gegenüber den Juden, indem er die Illegitimität des Verfahrens,

---

17 Kurt Wölfel, »Einführung«, in: *Lessings Werke*, hrsg. von K. W., Bd. 1, Frankfurt a. M. 1967, S. 601.

vom Einzelnen auf das Allgemeine zu schließen, generell
abweist, was er schon im *Misogyn* wie in der Figur des
Adrast im *Freigeist* getan hatte, und er erklärt letztlich auch
psychologisch und geschichtlich, wie es zur Diffamierung
der Juden hat kommen können:

> »Ich zweifle, ob viel Christen sich rühmen können, mit
> einem Juden aufrichtig verfahren zu sein: und sie wun-
> dern sich, wenn er ihnen Gleiches mit Gleichem zu ver-
> gelten sucht? Sollen Treu und Redlichkeit unter zwei
> Völkerschaften herrschen, so müssen beide gleich viel
> dazu beitragen.«

Lessings *Juden* sind ein »Meilenstein«[18] auf dem Wege zum
Nathan. Welche Wegstrecke jedoch noch zurückzulegen
ist, wird deutlich, wenn man sich vergegenwärtigt, dass
dort, wo am Schluss des *Nathan* die Utopie einer Mensch-
heitsfamilie entworfen wird, die *Juden* mit dem Modell der
Freundschaft zwischen dem christlichen Baron und dem
jüdischen Reisenden schließen, und während sich Nathan
selbstsicher zu seinem Judentum bekennt, muss sich der
Reisende erst zu diesem Bekenntnis zu seiner Religion
durchringen, um dadurch die Situation zu klären, die nicht
zuletzt durch sein Schweigen über seine Herkunft von
Lüge und Verwirrung gekennzeichnet war.

---

18 Erich Schmidt, *Lessing. Geschichte seines Lebens und seiner Schriften*, Bd. 1,
   Berlin 1884, S. 144.